LE MONDE
appartient aux
introvertis

Édition : Joëlle Sévigny
Infographie : Johanne Lemay
Révision : Caroline Hugny
Correction : Sylvie Massariol et Odile Dallaserra

DISTRIBUTEURS EXCLUSIFS :

Pour le Canada et les États-Unis :
MESSAGERIES ADP inc.*
Téléphone : 450-640-1237
Internet : www.messageries-adp.com
* filiale du Groupe Sogides inc.,
  filiale de Québecor Média inc.

Pour la France et les autres pays :
INTERFORUM editis
Téléphone : 33 (0) 1 49 59 11 56/91
Service commandes France Métropolitaine
Téléphone : 33 (0) 2 38 32 71 00
Internet : www.interforum.fr
Service commandes Export – DOM-TOM
Internet : www.interforum.fr
Courriel : cdes-export@interforum.fr

Pour la Suisse :
INTERFORUM editis SUISSE
Téléphone : 41 (0) 26 460 80 60
Internet : www.interforumsuisse.ch
Courriel : office@interforumsuisse.ch
Distributeur : OLF S.A.
Commandes :
Téléphone : 41 (0) 26 467 53 33
Internet : www.olf.ch
Courriel : information@olf.ch

Pour la Belgique et le Luxembourg :
INTERFORUM BENELUX S.A.
Téléphone : 32 (0) 10 42 03 20
Internet : www.interforum.be
Courriel : info@interforum.be

Catalogage avant publication de Bibliothèque et
Archives nationales du Québec et Bibliothèque et
Archives Canada

Löhken, Sylvia C.

    [Leise Menschen - starke Wirkung. Français]

    Le monde appartient aux introvertis

    Traduction de : Quiet impact, laquelle est une
traduction de : Leise Menschen - starke Wirkung.
Comprend un index.

    ISBN 978-2-7619-4715-2

    1. Introvertis. 2. Introversion. 3. Extraversion.
4. Relations humaines. I. Titre. II. Titre : Leise
Menschen - starke Wirkung. Français.

BF698.35.I59L6314 2016   155.2'32   C2016-941307-1

10-16

Imprimé au Canada

© 2012, Gabal Verlag
© 2014, Hachette UK pour la traduction en anglais

Traduction française :
© 2016, Les Éditions de l'Homme,
division du Groupe Sogides inc.,
filiale de Québecor Média inc.
(Montréal, Québec)

L'ouvrage original allemand de Sylvia Loehken a été
publié par Gabal en 2012 sous le titre *Leise Menschen
- starke Wirkung. Wie Sie Präsenz zeigen und Gehör
finden.*

Dépôt légal : 2016
Bibliothèque et Archives nationales du Québec

ISBN 978-2-7619-4715-2

Gouvernement du Québec – Programme de crédit
d'impôt pour l'édition de livres – Gestion SODEC –
www.sodec.gouv.qc.ca

L'Éditeur bénéficie du soutien de la Société de
développement des entreprises culturelles du
Québec pour son programme d'édition.

Conseil des Arts   Canada Council
du Canada   for the Arts

Nous remercions le Conseil des Arts du Canada de
l'aide accordée à notre programme de publication.

Financé par le gouvernement du Canada   Canada
Funded by the Government of Canada

Nous remercions le gouvernement du Canada de
son soutien financier pour nos activités de traduction dans le cadre du Programme national de traduction pour l'édition du livre.

Nous reconnaissons l'aide financière du gouvernement du Canada par l'entremise du Fonds du livre
du Canada pour nos activités d'édition.

Sylvia Loehken

LE MONDE
appartient aux
introvertis

Traduit de l'anglais par
Louise Sasseville

LES ÉDITIONS DE
L'HOMME
Une société de Québecor Média

LES EXTRAVERTIS ET LES INTROVERTIS :
DEUX MONDES POUR LE PRIX D'UN

Je m'appelle Sylvia Loehken et je suis introvertie. Peut-être suis-je un type inhabituel d'introvertie : ce mot évoque un « bollé » pas rasé, enfermé pendant des jours devant un écran d'ordinateur et semant des miettes de pizza sur son clavier. Mais ce n'est là que le cliché de ce qu'est une personne réservée. Il y en a beaucoup de genres. J'aime être en compagnie des gens (c'est ma profession et ma vocation), mais après une journée de vacarme, de chahut et de rencontres fortuites, j'ai besoin de temps pour être seule et recharger mes batteries. J'adore ce que je fais, mais, contrairement à mes collègues extravertis, je ne peux pas tirer toute l'énergie dont j'ai besoin d'un travail dynamique et emballant en compagnie de membres d'un séminaire, d'auditoires et de tutorés. Mais en quoi la vie d'un introverti constituerait elle un sujet convenant a un livre sur la communication ? Je devais le découvrir pour moi-même avant tout. J'ai débuté de la façon suivante.

Le perfectionnement fait partie intégrante de ma profession, mais à un moment donné, j'en ai eu assez de la formation sur la communication. Et ce n'est pas le sujet qui ne m'intéressait pas : ce qui se produit lorsque deux personnes se rencontrent est l'une des choses qui me fascinent le plus. Non, je commençais à me sentir mal à l'aise en compagnie des formateurs et des étudiants, mes propres collègues. Ils me semblaient souvent trop bruyants et superficiels, et je me suis rendu compte que c'était essentiellement mon problème. J'ai donc commencé à réfléchir à la question (les introvertis aiment bien réfléchir à des questions ; ils le font tout le temps). Qu'est-ce qui m'irrite à propos de mes collègues ? Les gens qui se tenaient debout à l'avant de la salle n'étaient pas pires que moi, lorsque c'était moi qui me trouvais là à prendre la parole. Mais ils étaient différents ; tellement différents que leur approche m'éloignait souvent d'eux. Un tas d'entre eux se considéraient comme faisant partie de l'élite : « ils se croient la crème de la crème », pensais-je alors, et je reste convaincue que leur orgueil est exagéré. Les cours que je suivais venaient souvent confirmer le fait que j'étais différente. Mes gestes : « Plus larges, s'il vous plaît ! » Mon discours : « Plus dynamique, s'il vous plaît ! » Ma façon de communiquer : « Plus de vigueur, s'il vous plaît ! »

Tout cela a commencé à m'inquiéter. Jusque-là, lorsque je prenais la parole, je n'avais jamais senti le besoin de faire de grands gestes, de me montrer fonceuse dans les négociations, ni de m'affirmer. Et, jusque-là, cela ne m'avait jamais nui. Au contraire : les clients et les participants à des séminaires qui sont « réservés » (ceux dont les gestes sont calmes et contrôlés, qui ont une approche coopérative et qui n'affichent pas tellement leurs émotions) étaient très intéressés par ce que j'avais à leur offrir. Et je les aimais bien : la plupart de mes clients étaient très calmes et réfléchissaient avec logique. « Je vois ! Vous aimez les types tranquilles et solitaires ! » s'est exclamée ma (très extravertie) formatrice lorsque je lui ai décrit mes clients préférés. Elle avait raison. Ma propre expérience des séminaires m'avait démontré que j'adore travailler intensément avec des gens qui pensent comme moi. Et cela m'a fait prendre conscience du fait qu'il n'existe aucun cours conçu pour des gens comme mes clients et moi, des cours qui tiennent compte des forces et des besoins des gens réservés.

Ce livre vise à combler une lacune, tout comme les séminaires, les conférences et le mentorat destinés aux gens introvertis. Mon point de départ était (et est toujours) que la bonne communication est liée à l'identité. Je ne peux réussir à traiter avec des gens que si je me connais et que je peux me comporter de façon appropriée lorsque je communique des choses, que je négocie, que je réseaute, ou que j'agis dans ma vie personnelle. Mais, qu'est-ce qui fait qu'une personne est réservée ? Comme je ne trouvais rien de particulier sur le sujet (je n'étais ni timide, ni hypersensible, thèmes sur lesquels portent en général les ouvrages spécialisés dans le domaine de la communication), je me suis prise en exemple et j'ai analysé la manière dont je communique habituellement. Les documents de développement personnel rédigés en anglais, ainsi que la psychologie, m'ont été très utiles. J'ai aussi commencé à observer mes clients d'un autre œil.

Le résultat a été emballant. J'ai découvert deux séries de caractéristiques que les gens introvertis apportent à la communication, nettement divisées en forces et en obstacles. Bien sûr, ce ne sont pas uniquement les gens réservés qui présentent ces caractéristiques, mais beaucoup de gens réservés les possèdent. C'était déjà un bon point de départ pour ma réflexion!

Les forces sont manifestement des avantages, mais il en est de même pour les obstacles, à leur façon: quand on connaît les obstacles que l'on se crée soi-même, on est plus conscient de ses propres besoins que les autres, qui ne se soucient pas de cerner leurs points faibles. Par exemple, pendant longtemps, lorsque j'éprouvais soudainement le besoin d'être seule, alors que j'étais en compagnie des membres de ma famille et d'amis, j'ai cru que j'étais antisociale. Je me rends compte maintenant qu'il est tout à fait logique de me retirer, lorsque j'ai besoin de refaire le plein d'énergie. Je n'appellerais pas cela une faiblesse (tout comme les extravertis ne se trouvent pas faibles lorsqu'ils ont besoin d'être rassurés à propos des choses et des gens qui les entourent, beaucoup plus que n'en ont besoin les introvertis).

Permettez-moi de vous lancer une très chaleureuse invitation: apprenez à connaître vos forces et les obstacles avec lesquels vous devez composer. Accueillez les deux comme de bons amis qui partagent votre vie. Cela vous facilitera beaucoup les choses lorsque vous interviendrez dans une situation afin de l'adapter à vos besoins pour bien communiquer.

Voici deux questions particulièrement utiles concernant les différents types de comportements humains:

1. Quelles sont les forces auxquelles une personne réservée peut faire appel dans cette situation?
2. Que devrait rechercher une personne réservée dans une telle situation?

Les réponses que j'ai trouvées figurent dans ce livre, afin que vous puissiez les utiliser dans votre propre vie.

Ce que vous trouverez dans ce livre et la façon de le lire

Les réponses à ces deux questions sont liées à un tas de situations variées présentées dans les pages qui suivent : professionnelles et personnelles, officielles et informelles, proches et lointaines, directes ou négociées. Si vous vous considérez comme une personne réservée, ce livre est destiné à vous aider à évoluer avec aisance dans un monde qui est souvent trop bruyant, et à réussir lorsqu'une cause vous tient à cœur. Chacune des sections est rédigée du point de vue d'une personne introvertie.

Si vous êtes davantage du type extraverti, vous comprendrez mieux les personnes introverties que vous rencontrerez et en viendrez à apprécier leurs forces après avoir lu ce livre, qu'il s'agisse de partenaires, de parents ou d'amis, de collègues, de patrons ou de participants à des séminaires.

Si vous n'avez pas la certitude d'être une personne réservée, un test, au premier chapitre, vous aidera à le déterminer. De toute façon, ce livre est conçu de manière que vous puissiez faire le lien entre le sujet abordé et votre situation personnelle : vous y trouverez des questions qui vous aideront si vous y répondez en tenant compte de votre propre situation. Saisissez cette occasion : vous apprendrez ainsi à vous connaître vraiment, et cela vous aidera à communiquer avec les autres !

Ce livre est structuré de la façon dont les introvertis aiment penser et communiquer : de l'intérieur vers l'extérieur. Cela commence par une observation de la personnalité. Dans la première partie, vous trouverez une introduction et une étude des forces et des obstacles types que les introvertis se créent eux-mêmes. Il est logique que vous lisiez cette partie en premier, pour démarrer sur une base solide. Dans la deuxième partie, qui contient les chapitres 4 et 5, vous découvrirez une série de scénarios professionnels et personnels, axés sur ce qui est bon pour les personnes réservées et ce qui les aide à réussir. Surtout, cette section vous montre comment composer avec ces scénarios d'une manière qui convient aux introvertis. Tous les chapitres subséquents, qui composant la troisième partie du livre, expliquent la manière d'utiliser ces forces et de surmonter ces obstacles lorsque vous traitez avec d'autres personnes. Là, j'ai délibérément insisté sur les forces et obstacles-clés dans l'établissement de contacts, dans la négociation, dans les exposés en public et dans les réunions. Après le test et un coup d'œil au résumé à la fin du premier chapitre, vous serez en mesure de déterminer clairement celles de vos caractéristiques personnelles qui sont importantes dans une situation donnée.

Je vous présenterai également certains membres réservés qui ont participé à mes séminaires et des tutorés dont l'histoire (anonyme) illustre la façon dont les introvertis utilisent leurs forces dans diverses situations. J'espère que ce que vous découvrirez en lisant vous aidera à rassembler votre courage et vous donnera envie d'essayer la communication des introvertis!

Le monde repose sur les introvertis!

De nombreuses célébrités sont, ou ont été, des gens réservés, ou c'est ce que laissent entendre les caractéristiques qu'on leur attribue. Il suffit de jeter un coup d'œil sur la liste ci-dessous.

Galerie d'introvertis célèbres

Woody Allen, réalisateur, écrivain, acteur et musicien, É.-U.
Julian Assange, journaliste et porte-parole de WikiLeaks, Australie
Brenda Barnes, présidente et présidente du conseil de Sara Lee, fabricant de biens de consommation, É.-U.
Ingrid Bergman, actrice, Suède
Warren Buffet, grand investisseur et entrepreneur, É.-U.
Frédéric Chopin, compositeur et pianiste, Pologne
Marie Curie, chimiste et physicienne, lauréate du prix Nobel en physique et en chimie, Pologne/France
Charles Darwin, naturaliste et père de la théorie de l'évolution, Royaume-Uni

---

Bob Dylan, musicien, poète et peintre, É.-U.

Clint Eastwood, acteur et réalisateur, É.-U.

Albert Einstein, physicien, lauréat du prix Nobel de physique, Allemagne

Mohandas Karamchand Gandhi, mieux connu sous le nom de Mahatma Gandhi, chef spirituel du mouvement d'indépendance indienne, Inde

Bill Gates, fondateur de Microsoft, É.-U.

Sir Alfred Hitchcock, réalisateur de films, Royaume-Uni

Michael Jackson, musicien, É.-U.

Franz Kafka, écrivain de langue allemande, Tchécoslovaquie

Emmanuel Kant, philosophe des Lumières, Allemagne

Avril Lavigne, chanteuse et auteure-compositrice, Canada

Angela Merkel, chancelière de la République fédérale d'Allemagne

Sir Isaac Newton, physicien, mathématicien, philosophe et théologien, Royaume-Uni

Barack Obama, président des États-Unis

Michelle Pfeiffer, actrice, É.-U.

Claudia Schiffer, mannequin, Allemagne

George Soros, investisseur et homme d'affaires, Hongrie/É.-U.

Steven Spielberg, réalisateur, producteur et scénariste, É.-U.

Tilda Swinton, actrice, Royaume-Uni

Mère Teresa, religieuse, lauréate du prix Nobel de la paix, Albanie/Inde

Charles Mountbatten-Windsor, prince de Galles, duc de Cornouailles, héritier du trône britannique

Mark Zuckerberg, informaticien, fondateur de Facebook, É.-U.

Vous le constatez donc : plusieurs des personnes qui ont le mieux réussi, qui sont les plus puissantes, talentueuses, novatrices, courageuses, intelligentes et intéressantes de la planète sont très réservées. Elles n'ont pas plus de valeur que les extravertis, mais elles n'en ont pas moins, bien qu'elles le croient souvent. Il y a une chose, par-dessus tout, qui a assuré leur réussite : elles sont restées fidèles à elles-mêmes, en ce qui concerne leur introversion et toutes leurs autres caractéristiques. C'est une merveilleuse recette, et je vous la recommande chaudement : restez fidèle à vous-même, en tant qu'introverti, faites ce qui vous convient et ce qui convient à vos besoins. Vous et vos forces changerez le monde en toute discrétion, à l'instar des gens qui figurent dans cette liste. Comme l'a déjà dit Dolly Parton :

« DÉCOUVREZ QUI VOUS ÊTES,
ET SOYEZ CETTE PERSONNE ! »

P.-S. : Un mot destiné aux spécialistes : les publications universitaires ont tendance à utiliser le terme « extraversion », plutôt qu'« extroversion ». J'ai donc suivi la tendance et utilisé le terme « extraversion ».

1re PARTIE

Qui vous êtes, ce que vous pouvez faire et ce dont vous avez besoin

John étudie la TI (technologie de l'information) dans un collège technique d'excellente réputation. Il a deux amis qu'il aime bien rencontrer (pour aller au cinéma, par exemple, ou pour faire du sport). Il utilise les médias sociaux comme Twitter et Facebook pour garder le contact avec ses compagnons d'études et diverses personnes dont il a fait la connaissance lors de stages. En ce moment, il fait un stage auprès de l'un des plus grands constructeurs d'automobiles allemands. Mais John a moins de chance lorsqu'il s'agit de ses amours : il n'y a pas beaucoup de jeunes filles au collège, et il va rarement à des soirées ou à des concerts : les foules et le niveau de bruit lui semblent trop stressants. Il se demande s'il devrait faire l'essai de sites Web de rencontre pour se trouver une compagne qui lui conviendra.

John réussit bien dans ses cours : il passe ses examens et il se prépare à rédiger un compte rendu. Mais il n'aime pas faire des présentations devant de grands groupes, il est terrifié par les examens oraux. Dans ses loisirs, il aime bien courir, et pendant ses séances de jogging, il trouve parfois des idées pour son deuxième passe-temps : il fait de la photo en combinant paysages et technologie pour obtenir quelque chose de nouveau, par exemple des ponts et des immeubles industriels.

MAIS QU'EST-CE QU'UNE PERSONNE RÉSERVÉE?

L'introversion et l'extraversion

On peut diviser les gens en personnalités extraverties et introverties. Presque tout le monde comprend ces termes et leur associe certaines caractéristiques. Mais en y regardant de plus près, que ce soit dans la vraie vie ou dans la documentation, les limites entre l'introversion et l'extraversion sont un peu floues. En fait, il existe beaucoup de souplesse dans les manifestations et la définition de l'introversion et de l'extraversion.

Le facteur personnalité

Cette caractéristique de tout être humain repose avant tout sur la *personnalité*. Nous naissons avec une tendance à l'introversion ou à l'extraversion, et avec certains autres traits et besoins qui contribuent à nous façonner. On peut constater une tendance à l'introversion ou à l'extraversion même chez les enfants. Il est plus facile de comprendre ces termes si on ne les met pas en opposition, mais qu'on les considère comme les points extrêmes d'un continuum. Nous présentons tous des caractéristiques d'introversion et d'extraversion. Et nous naissons tous avec une certaine souplesse, un genre de zone de confort, dans le continuum introversion-extraversion, qui nous convient. La plupart des gens se situent dans une zone centrale modérée, mais présentent une tendance à l'introversion ou à l'extraversion; seules les positions extrêmes peuvent poser problème. Cela touche les gens qui se situent aux extrémités du continuum, qu'il s'agisse d'introvertis ou d'extravertis. Cependant, il est très malsain de vivre constamment hors de sa zone de confort. Si une personne introvertie hypersensible au bruit, comme John, s'expose en permanence à des niveaux élevés de bruit, cela lui sape beaucoup d'énergie et l'empêche de recharger ses batteries. S'il devait vendre des voitures à temps plein, plutôt que de faire un stage dans les services administratifs de l'entreprise, il serait malheureux et finirait par se vider de toute sa vigueur à long terme. Dans les cas les plus graves, le fait de vivre trop longtemps hors de notre zone de confort peut nous rendre malades.

Deuxièmement, l'introversion et l'extraversion *dépendent de la situation* : autrement dit, comme pour le sens de la marche d'un train, tout le monde a le choix de regarder vers l'avant ou vers l'arrière, pour faire face à la situation. L'être humain a une formidable capacité d'adaptation : l'une de nos caractéristiques est notre capacité d'adapter nos pensées et nos actes à une situation particulière. En tout temps, dans notre vie, nous pouvons agir d'une manière ou d'une autre. Cela n'a rien à voir avec l'introversion ou l'extraversion, mais plutôt avec l'intelligence, ou peut-être la discipline ; par exemple, lorsque nous décidons après réflexion d'emprunter une approche qui aurait été tout à fait différente si nous l'avions prise sous le coup de l'impulsion. Le rôle que nous jouons dans une situation façonne également nos décisions sur notre manière de communiquer. Et puis, différentes questions peuvent avoir une incidence sur notre comportement : sommes-nous forts ou faibles, dans nos relations avec les autres ? Qu'attend-on de nous ? Comment voulons-nous nous présenter ?

C'est pour cela que le jour de l'anniversaire de sa mère, John bavardera joyeusement avec ses jeunes cousins, comme un modèle de décontraction. Il sera poli avec ses tantes âgées et répondra patiemment à leurs questions. À la foire commerciale, au stand de la société où il fait un stage, il aura tendance à être réticent avec les gens qu'il ne connaît pas. Mais il fera également un effort parce que c'est son rôle professionnel. Même une personne dotée d'une personnalité fortement extravertie doit vivre des moments où elle est sans voix ou se retient. Beaucoup d'extravertis que je connais apprécient des moments tranquilles en période d'agitation (et ils en ont même besoin !). Tout compte fait, cette souplesse est une chance : la voie introversion-extraversion nous donne une marge de manœuvre et nous offre un tas d'approches différentes.

Troisièmement, la *culture* qui nous entoure exige plus ou moins la capacité d'adaptation à l'introversion ou à l'extraversion. Dans un pays comme le Japon, il est très important d'être considéré comme réservé, solitaire et réfléchi. Le silence partagé fait partie d'une conversation normale entre connaissances. Les introvertis d'autres pays trouvent que c'est une expérience très agréable. Mais en Occident, dans la classique « culture de l'extraversion », un silence

qui s'établit entre deux personnes qui conversent est habituellement considéré comme embarrassant ou, du moins, désagréable.
Cela semble normal de passer tout son temps en groupe, tant dans
sa vie personnelle que professionnelle. Alors, aux États-Unis et au
Canada, comme dans de nombreux pays d'Europe, les introvertis
devront déployer davantage d'efforts pour s'adapter à leur environnement en agissant de façon plus extravertie qu'ils n'auraient
eu à le faire au Japon, dont la culture est favorable à l'introversion.

Le facteur temps

Enfin, quatrièmement, une transition s'effectue avec le *passage du
temps*. En vieillissant, les gens ont tendance à se rapprocher de la
position médiane du continuum: ils deviennent «plus modérés»
quant à leur introversion ou à leur extraversion. Cela rend l'introversion plus accessible pour les extravertis, dans la deuxième moitié de leur vie, ce qui est particulièrement utile: cela les aide à
réfléchir sur eux-mêmes et sur leur propre vie, sur les valeurs et
leur signification.

Mais, malgré le fait qu'elles dépendent de la situation, de la
culture et même de l'âge, l'introversion et l'extraversion sont des
traits de personnalité relativement stables, qui se traduisent par
certaines caractéristiques et certains penchants. En définitive, il
faut surtout chercher la réponse à une question cruciale dont je
vais vous faire part.

> LA QUESTION-CLÉ, À PROPOS DE L'INTROVERSION ET DE
> L'EXTRAVERSION, EST: D'OÙ PROVIENT L'ÉNERGIE?

Autrement dit, comment les gens se comportent-ils lorsqu'ils sont
stressés ou épuisés, et qu'ils doivent recharger leurs batteries?

Les sources d'énergie pour les introvertis et les extravertis

Il existe fondamentalement deux réponses à cette question: l'une est
que certaines personnes tirent leur énergie du contact avec les autres.
Mon mari est comme ça: après une journée stressante, il trouve
relaxant de sortir avec des amis, de jouer pour son équipe de football
ou de participer aux activités de son club. Il s'agit essentiellement

d'un comportement extraverti. D'autres personnes se referment et se régénèrent seules, si c'est possible, en maintenant les stimuli et les conversations au minimum. Je suis comme ça. Après une journée de séminaire, j'aime m'asseoir, seule, dans ma chambre d'hôtel, et lire. Sans un mot à quiconque. Ou je rencontre une bonne amie et je puise mon énergie dans notre conversation décontractée. Après trois jours de séminaire, j'ai besoin d'une demi-journée seule pour recharger complètement mes batteries. Vous vous en doutez : une personne qui récupère ainsi est probablement introvertie.

Une trop grande stimulation épuise l'énergie des introvertis. Dans un contexte professionnel, cela pourrait être un poste qui exige de composer simultanément avec de multiples demandes. Dans la vie personnelle, il pourrait s'agir d'une réception à laquelle prennent part des tas de gens que je ne connais pas et où la musique est forte, situation que même les jeunes introvertis comme John trouvent stressante. Pour les introvertis, la stimulation excessive signifie aussi qu'ils devront se retirer à un moment ou à un autre. Mais les extravertis aiment la stimulation parce que cela les dynamise. C'est pourquoi ils recherchent souvent la variété lorsqu'ils doivent compter sur leurs propres ressources et qu'ils reçoivent trop peu de nouvelles impressions ; alors, dans les bibliothèques, les hôpitaux ou les entreprises offrant des bureaux privés, ils aiment trouver des pièces où les contacts sociaux sont possibles : les cafétérias, les coins salon, les cuisines et partout où il est facile de téléphoner et de communiquer. Dans les bureaux privés, les téléphones et les ordinateurs peuvent constituer un filin de secours pour les extravertis extrêmes, simplement parce que ces appareils maintiennent le contact avec le monde extérieur.

Le besoin de calme et de silence

Cela ne signifie pas que les extravertis n'ont pas besoin de temps pour être seuls et tranquilles. Mais, pour les introvertis, « du temps seul » est essentiel pour recharger leurs batteries après une période de stress et de contacts sociaux. S'ils ne peuvent pas avoir de calme et de silence, ils deviennent irritables et s'épuisent. Et puis, en général, les introvertis ont tendance à avoir besoin de plus de temps sans stimulation avant de se relancer dans le brouhaha du quotidien. Trois semaines dans une forêt isolée de la Suède, ce sont davantage des vacances de rêve pour des introvertis que pour des extravertis.

Une question pour vous

Vous passerez bientôt le test qui permettra de déterminer si vous êtes introverti ou extraverti. En ce moment, comment vous voyez-vous ?

- ❏ Je suis davantage introverti.
- ❏ Je suis davantage extraverti.
- ❏ C'est plutôt moitié-moitié.

Aucun de ces deux types n'est mieux ni pire. Ils décrivent simplement vos propres penchants et vos besoins. Mieux vous connaissez vos besoins, plus vous pouvez être fidèle à vous-même et faire les choses qui sont importantes pour vous. Une chose est essentielle, ici : équilibrer le temps à passer seul et le temps à passer avec d'autres, afin d'obtenir la quantité appropriée de chacun. Apprenez à vous demander ce dont vous avez besoin exactement. Vous constaterez que vous connaissez presque toujours la réponse.

LA QUESTION POUR ÊTRE FIDÈLE À SON TYPE :
«DE QUOI AI-JE BESOIN EXACTEMENT?»

Les éoliennes et les batteries

Une comparaison avec deux autres sources d'énergie montre la différence encore plus clairement : un extraverti produit son énergie comme une éolienne, c'est-à-dire qu'il a d'abord besoin d'un apport extérieur pour la produire, et ensuite, il doit participer activement, avec dynamisme, à ce processus. Mais les introvertis sont comme des batteries : ils se rechargent au repos, sans apport extérieur, et préfèrent ne participer aucunement à l'activité, à ce stade. Alors, les introvertis, comme les batteries, ont besoin de davantage de temps pour récupérer l'énergie qu'ils ont dépensée.

Les cerveaux des introvertis et des extravertis

Les neuroscientifiques peuvent maintenant démontrer que l'activité cérébrale des introvertis nécessite davantage d'énergie que celle des extravertis. En comparaison, le cerveau des introvertis montre une activité électrique plus intense, en tout temps, et pas seulement lorsqu'il y a un défi mental inhabituel à relever. Ce niveau d'énergie supérieur se constate surtout dans le cortex frontal, où sont traités les événements internes. C'est la partie du cerveau liée à l'apprentissage, à la prise de décisions, à la mémoire et à la résolution de problèmes. Ainsi, les introvertis dépensent davantage d'énergie pour traiter les impressions, ce qui épuise leurs batteries plus rapidement que celles des extravertis qui, comme des éoliennes, peuvent se recharger pendant qu'ils consacrent de l'énergie à quelque chose. C'est pourquoi il est particulièrement important, pour les introvertis, d'utiliser leurs ressources internes avec parcimonie.

Le cerveau des introvertis peut facilement être trop stimulé

Le cerveau des introvertis compose avec les stimuli extérieurs plus intensément que celui des extravertis : il est plus sensible aux stimuli du monde qui l'entoure, est plus facilement trop stimulé et a besoin de beaucoup plus d'énergie pour traiter les impressions. Cela signifie, par exemple, que pour un introverti comme John, même un faible niveau de bruit peut nuire à l'activité mentale, telle que l'apprentissage. En revanche, ses pairs extravertis peuvent peut-être apprendre encore plus facilement s'il y a un bruit de fond modéré (comme la radio !) que si le silence règne.

Cela ne signifie pas qu'un extraverti a « plus de vitalité » qu'un introverti. De même, les introvertis ne sont pas « bâtis » pour être plus calmes que les extravertis. Et l'étiquette de « timide » n'a rien à voir avec l'introversion. Les personnes timides sont avant tout anxieuses face aux contacts sociaux. Souvent, elles ne se sentent pas d'attaque pour rencontrer des gens. La peur n'a rien à voir avec le continuum introversion-extraversion : elle peut atteindre les deux types.

L'INTROVERSION EST TRÈS DIFFÉRENTE DE LA TIMIDITÉ OU DE L'HYPERSENSIBILITÉ. «L'HYPERSENSIBILITÉ» SIGNIFIE QUE LE SYSTÈME NERVEUX EST EXTRÊMEMENT SENSIBLE AUX INFLUENCES EXTERNES, CE QUI MÈNE TRÈS RAPIDEMENT À UNE SURCHARGE SENSORIELLE, MAIS CELA PEUT AUSSI MENER À UN DEGRÉ ÉLEVÉ D'EMPATHIE. MÊME SI PLUSIEURS PERSONNES HYPERSENSIBLES SONT INTROVERTIES, IL EST AUSSI VRAI QUE 30% D'ENTRE ELLES SONT EXTRAVERTIES, COMME L'A DÉMONTRÉ LA PSYCHOLOGUE ELAINE ARON. VOUS TROUVEREZ L'ADRESSE DE SON SITE WEB, OÙ ELLE PRÉSENTE UN TEST PERMETTANT DE VOUS ÉVALUER, À LA FIN DE CE LIVRE.

À LA DÉCOUVERTE DES EXTRAVERTIS ET DES INTROVERTIS

Freud et Jung

Sigmund Freud (un extraverti) a inventé la psychanalyse moderne, il y a une centaine d'années. Il considérait la sexualité comme la force motrice du subconscient humain. Son collègue plus jeune et contradicteur, Carl Gustav Jung (un introverti), se montrait critique face à la théorie de Freud. Il a créé un modèle plus vaste du subconscient, contenant des éléments autres que la sexualité. Ces hypothèses de base différentes ne rendaient pas la relation entre les deux universitaires très productive. Ils ont commencé à travailler séparément et ont poursuivi leurs recherches indépendamment l'un de l'autre.

En 1921, dans son essai intitulé *Types psychologiques,* Jung a défini l'introversion et l'extraversion pour la première fois en tant que caractéristiques qui fournissent un important apport au façonnement de la personnalité. Il a déterminé quatre fonctions (la sensation, la pensée, le sentiment et l'intuition) qui influent sur la personnalité des introvertis et des extravertis. On peut constater la distinction qu'établit Jung entre l'introversion et l'extraversion dans tous les grands types de personnalités. Plus particulièrement, le Myers-Briggs Type Indicator (MBTI) aux États-Unis, et les tests Insights, sont ceux qui se rapprochent le plus de la classification originale, car ils tiennent compte des quatre fonctions établies par Jung. Les méthodes comme le test de personnalité Big Five Test, le test du Reiss Profile, le test Alpha Plus et le Structogram sont également fondées sur les caractéristiques de l'introversion et de l'extraversion. Mais ces termes ne sont pas définis de manière uniforme, et ce ne sont pas exactement les mêmes termes qui sont utilisés. Fait intéressant, le Big Five Test place les termes « introverti » et « extraverti » dans des sous-catégories du terme « extraversion ». C'est comme si le terme « femme » était le générique englobant l'homme et la femme.

Dans son livre intitulé *The Introvert Advantage* (2002) (*Introverti et heureux*, Éditions de l'Homme, 2005), Marti Olsen Laney souligne que Freud, après son différend avec Jung, présentait le concept d'introversion négativement dans ses écrits, y voyant du narcissisme, tout en considérant l'extraversion comme saine et positive. Serait-ce que l'image négative de l'introversion qui perdure encore aujourd'hui (et qui est bien présente dans un bon nombre de tests mentionnés) remonte au conflit qui a pris naissance entre un universitaire extraverti et son collègue introverti ?

Wolfgang Roth (2003) établit un lien différent : il croit que Jung, lorsqu'il classait les traits de personnalité, tentait d'expliquer son désaccord avec l'extraverti Sigmund Freud, ce qui l'a préoccupé et dérangé pendant longtemps.

Mais une chose importe : Jung n'évaluait pas les gens en fonction de degrés d'introversion ou d'extraversion. Il considérait les deux types et leurs traits comme importants et utiles. Selon Jung, les introvertis et les extravertis se complètent et peuvent s'aider à élargir leurs horizons respectifs et à adopter de nouveaux points de vue. Par exemple, un collègue extraverti peut facilement organiser le recrutement de nouveau personnel au sein de l'entreprise, alors que le collègue introverti s'assure que tout changement d'orientation fait l'objet d'un examen approfondi. Un père introverti peut gentiment fixer des limites à sa fille extravertie qui grandit, afin d'éviter les conflits que pourrait facilement susciter la communication entre introverti et extravertie.

L'importance de la neuropsychologie

Entre-temps, la recherche a progressé. L'un des domaines les plus emballants a trait à l'introversion-extraversion : la physiologie du cerveau. Il ne s'agit pas de travaux médicaux, mais les connaissances dans le domaine scientifique ont de quoi réjouir. Les études des années 1990 et suivantes démontrent clairement que, dans diverses zones du système nerveux central, le continuum introversion-extraversion est non seulement une hypothèse psychologique, mais aussi une réalité biologique, c'est-à-dire que nos personnalités et nos actes sont régis par les détails physiologiques du cerveau. Mais nous ne pouvons pas en conclure que nous devons communiquer ou agir d'une certaine façon. Les caractéristiques physiologiques permettent simplement de déduire nos forces et nos penchants.

Voici un bref résumé des faits les plus importants.

Les cerveaux des introvertis et des extravertis sont différents !

1. On peut démontrer qu'il existe une *plus grande activité électrique* dans le cortex frontal des sujets introvertis que dans celui des extravertis. C'est là que nous traitons nos processus internes. C'est là que nous apprenons, décidons, nous rappelons et résolvons des problèmes [Roming 2011].
2. L'Américaine Debra Johnson, Ph. D., a démontré, en 1999, que l'introversion est liée à un accroissement du flux sanguin dans la même zone frontale. Elle a également démontré que les différences entre les introvertis et les extravertis viennent du fait que leur sang emprunte des voies différentes dans le cerveau. Les stimuli des introvertis doivent emprunter des voies neurales plus profondes dans leur cerveau que dans celui des extravertis. C'est pourquoi les gens réservés prennent souvent plus de temps pour réfléchir ou pour réagir.

3. Différents neurotransmetteurs dominent dans le cerveau des introvertis et dans celui des extravertis. Ces molécules transmettent les messages qui influent sur les activités du cortex cérébral, notamment ceux de la satisfaction et du bien-être [Roth 2007]. Les voies empruntées par les neurotransmetteurs sont établies par des actions répétées et transforment ce que nous faisons en habitudes. Chaque personne a son propre « niveau », déterminé génétiquement, pour différents neurotransmetteurs. Les extravertis ont une activité beaucoup plus considérable dans les voies dopaminergiques, alors que les introvertis ont davantage d'acétylcholine [Olsen Laney 2002].

4. Ces deux neurotransmetteurs, la dopamine et l'acétylcholine, ont des effets très différents : la dopamine est liée à l'impulsion motrice, à la curiosité, à la recherche de variété et à l'attente d'une récompense, alors que l'acétylcholine joue un rôle important dans la concentration, la mémoire et l'apprentissage [Roth 2007]. Susan Cain résume les conséquences de cette différence neurobiologique en définissant les extravertis comme *orientés-récompense,* et les introvertis comme *orientés-menace* [Cain 2011].

Cela a des conséquences pour la communication : le matériel biologique des extravertis les rend plus enclins à l'entrain, à l'excitation, à l'exubérance et même à l'euphorie. Il est également plus probable que les extravertis prennent des risques ; par exemple, ils se trouvent plus souvent dans des situations conflictuelles, sont davantage portés à courir des risques lorsqu'ils négocient et ils sont habituellement plus à l'aise devant un grand auditoire. Les introvertis se sentent moins souvent euphoriques, et ils le ressentent moins intensément, mais ils ont davantage tendance à observer et à écouter attentivement avant d'agir. Ils aiment éviter les conflits, et sont rarement agressifs. Des études démontrent aussi que les introvertis sont plus fidèles que les extravertis.

5. Il faut penser ces neurotransmetteurs dans un plus vaste contexte. Il existe deux « adversaires » dans notre système nerveux autonome (c'est-à-dire dans la zone où tout se fait

« automatiquement »). Le *système sympathique* prépare le corps humain à l'action, à l'attaque, au vol ou à de grands efforts par rapport au monde extérieur. Le nerf sympathique utilise le « neurotransmetteur des extravertis », la dopamine, aux fins de transmission. Le *système parasympathique* fait exactement l'inverse : il assure le calme, la relaxation et la conservation. Il ralentit la fréquence cardiaque et favorise la digestion, en se servant du « neurotransmetteur des introvertis », l'acétylcholine.

6. Marti Olsen Laney [2002] conclut de tout cela (et d'autres études) que les introvertis et les extravertis diffèrent biologiquement surtout parce que leur système nerveux autonome est configuré différemment : chez les extravertis, les activités du système sympathique dominent, alors que chez les introvertis, c'est le système parasympathique qui est dominant. Et puis, les extravertis semblent [selon la recherche de Debra Johnson susmentionnée, en 1999] avoir besoin de davantage de stimuli du monde extérieur que les introvertis, parce qu'ils ne peuvent pas se stimuler intérieurement avec la même intensité. Alors, le calme et la détente extérieurs posent un défi pour les extravertis. Les chercheurs Dean et Peter Copeland ont démontré que, pour les extravertis, le manque de stimuli externes (p. ex. les activités routinières, le manque de personnes actives, les rituels rigides) mène à un manque de stimulation [Hamer/Copeland 1998]. Il ne faut donc pas beaucoup de temps avant que les extravertis ne tiennent plus en place ou ne s'ennuient si le manque de stimulation perdure : ils présentent alors des symptômes de privation de dopamine.

7. Cela fournit une explication biologique des raisons pour lesquelles les extravertis tirent leur énergie d'un comportement actif, tourné vers l'extérieur, alors que les introvertis trouvent leur force dans la paix et le calme : les deux façons de trouver de l'énergie ont trait aux configurations différentes du système nerveux autonome.

La zone de confort en tant que biotope naturel

Voilà pour la base théorique de notre décision. Il est plus facile de comprendre dans ce contexte pourquoi il est sain de nous déplacer le long du continuum d'introversion-extraversion, le plus possible dans notre zone de confort : c'est ce qui se rapproche le plus de notre biotope naturel, celui qui nous convient le mieux, et dans lequel nous pouvons organiser nos vies le plus facilement et le plus agréablement.

Existe-t-il plus d'introvertis ou d'extravertis ?

Il n'est pas encore possible d'avoir des réponses scientifiques précises à toutes les questions sur les introvertis et les extravertis. On le constate dans la réponse à une question intéressante, car la réponse diffère grandement selon le point de vue : les introvertis sont-ils en minorité par rapport aux extravertis ?

LES INTROVERTIS SONT SOUVENT MOINS VISIBLES,
MAIS ILS SONT PARTOUT.

Comme les extravertis communiquent avec plus de vigueur par l'ouïe et par la vue, ils semblent souvent en majorité, alors que les introvertis semblent être représentés en plus petit nombre. Le livre de Marti Olsen Laney cite des auteurs comme Kroeger et Thuesen, qui prennent comme point de départ de leurs travaux l'hypothèse selon laquelle une proportion de 75 % de la population est extravertie, alors que Susan Cain estime que cette proportion se situe entre 30 % et 70 % de la population. Mais les études de Laurie Helgoe (2008) et Devora Zack (2012) sur les introvertis sont fondées sur l'hypothèse que la proportion d'introvertis et d'extravertis est répartie également, hypothèse adoptée aussi par la documentation sur le Myers-Briggs Type Indicator.

Il est probablement impossible de déterminer ces proportions avec exactitude. Mais une chose est sûre : il existe un grand nombre d'introvertis. La prochaine section porte sur une question qui importe davantage pour le thème central de ce livre que toute autre série de chiffres. Comment les introvertis s'en tirent-ils, par rapport à leurs concitoyens, lorsqu'il s'agit de communiquer ?

UNE BONNE RÉPARTITION DE LA POPULATION

Les introvertis sont-ils antisociaux?

Les personnes réservées qui ne sont pas à l'aise dans un contexte social sont dites «antisociales». C'est injuste. L'introversion et les traits de personnalité comme la gentillesse ou l'intérêt porté à autrui sont très différents. Bien sûr, il y a les «bollés», les mésadaptés, détachés de ce monde, dont les principaux contacts se font par Internet. Mais il y a aussi les experts de la communication introvertis (comme Anne, dont vous ferez la connaissance au chapitre 6), qui sont en interaction avec un tas de gens et qui aiment cela. Il existe également diverses personnalités parmi les extravertis: ce ne sont pas tous les extravertis qui sont des «amuseurs» charismatiques; beaucoup d'extravertis manquent de compétences pour évoluer en société. Tous les hommes et les femmes sont des êtres sociaux. Nous avons besoin les uns des autres. Mais «besoin» est un vaste terme. Par exemple, un bébé a besoin des autres pour survivre. En tant qu'adultes, nous avons besoin de la compagnie des autres: les organisations axées sur les droits de la personne considèrent l'isolement en cellule comme de la torture. Nous avons tous besoin d'observer les autres pour établir des normes de comportement.

La capacité de se créer des contacts personnels exige un éventail de caractéristiques, dont l'intérêt envers les autres, l'empathie, le respect, la sympathie, et même la capacité d'admettre la culpabilité. Les plupart des gens possèdent ces caractéristiques, qu'ils soient introvertis ou extravertis.

> LES GENS RÉSERVÉS ONT BESOIN D'ÉNERGIE POUR LES INTERACTIONS SOCIALES, ALORS QUE LES EXTRAVERTIS TIRENT LEUR ÉNERGIE DE CES INTERACTIONS.

L'investissement par rapport à la récompense

Même si les introvertis et les extravertis ont «besoin» de leurs semblables comme tous les membres des autres espèces, pour les introvertis, rencontrer des gens constitue un investissement:

comme vous l'avez vu plus tôt dans ce livre, communiquer avec les autres, surtout dans de vastes groupes, demande une grande dépense d'énergie pour les introvertis. Au contraire, les extravertis gagnent quelque chose dans ces rencontres : une « récompense » que leur procurent les neurotransmetteurs et, surtout, cette denrée précieuse qu'est l'énergie. Vous vous rappellerez aussi que, en tant qu'« éoliennes », les extravertis ont besoin de vent, autrement dit d'interactions avec les autres, autant que les introvertis (les « batteries ») ont besoin de temps bien à eux pour se recharger. De plus, les extravertis sont habituellement à l'aise en compagnie de leurs semblables et peuvent donc se concentrer plus facilement sur le point de vue extérieur.

Les introvertis peuvent aussi se sentir à l'aise en compagnie des autres, mais différemment. Les introvertis ont besoin de moins de stimulation ; il se passe beaucoup de choses dans leur esprit sans qu'ils aient besoin des stimuli extérieurs qui sont nécessaires aux extravertis. C'est pourquoi les personnes réservées trouvent souvent les activités sociales débilitantes et s'abstiennent d'y participer : elles fixent très peu de rendez-vous fermes ou adoptent une attitude passive plutôt que d'aborder les gens délibérément. Par ailleurs, les introvertis préfèrent les autres formes de communication : ils aiment mieux s'adresser à une ou deux personnes que de prendre la parole devant une grande assemblée. Et, quelque inspirante que puisse être une conversation, l'énergie qui y est consacrée ne peut être remplacée que grâce à une période de repos. Seul.

Une vie intérieure intense

Voilà pourquoi les gens réservés ont tendance à se fermer au monde extérieur s'ils ont trop d'informations à traiter. Mais cela peut facilement donner une fausse impression aux extravertis : « Elle ne peut pas traiter les gens comme ça ! » Dans le pire des cas, les extravertis considèrent les introvertis comme égocentriques, peu intéressés à interagir avec les autres, ou même comme des ermites. Chers lecteurs extravertis : ce n'est pas vrai ! C'est seulement qu'en comparaison avec vous, les introvertis ont besoin de travailler plus fort à leur vie intérieure : ils doivent constamment établir des correspondances entre les impressions extérieures et les expériences, les attitudes et les évaluations personnelles. Cela signifie qu'il est très logique que la « mémoire de travail » soit presque surchargée par ces activités.

EN TANT QU'INTROVERTI, ASSUREZ-VOUS D'AVOIR DES « TEMPS D'ARRÊT » BIEN À VOUS !

Besoin de temps pour se régénérer !

Il est particulièrement bon pour les introvertis d'être seuls, de temps à autre : pour assimiler et pour se régénérer. Ils peuvent ainsi éviter la stimulation excessive, la fatigue et le besoin de « se fermer » au beau milieu d'une conversation. Et, de toute façon, le besoin d'être seul n'est absolument pas antisocial. Au contraire, les gens réservés veulent comprendre ce qui se passe, c'est pourquoi ils ont besoin de bien digérer ce qu'ils ont vécu. Bref, il se passe beaucoup plus de choses pour eux que pour les extravertis ; c'est seulement que ce n'est pas visible. Les extravertis se sentent souvent un peu exclus, rejetés, ou bien ils s'ennuient en présence de gens introvertis. C'est une fausse impression !

Alors, étant donné la façon particulière dont leur cerveau est organisé, les introvertis tirent avantage à alterner les périodes où ils sont avec d'autres et les périodes où ils sont seuls. Les proportions appropriées dépendent de leur zone de confort dans le continuum introversion-extraversion (voir la section « Mais, qu'est-ce qu'une personne réservée ? » à la page 18). Il existe des introvertis renfermés qui ont besoin de beaucoup de silence et de tranquillité (à l'extrémité introvertie du continuum), particulièrement après des activités sociales, alors que les introvertis qui se situent davantage vers le centre du continuum se satisfont de moins de temps de solitude. Ils aiment les gens, et cultivent leurs contacts de telle façon qu'ils pourraient passer pour des extravertis. Helgoe (2008) appelle ces gens les « introvertis socialement accessibles ». Moi, je les considère comme des gens réservés qui peuvent facilement se transformer en extravertis : ce sont des « flexi-introvertis ».

Ces flexi-introvertis sont souvent difficiles à distinguer des extravertis, au premier coup d'œil. Bien des gens qui ont ce type de personnalité aiment la compagnie des autres et excellent souvent dans l'établissement de contacts. C'est seulement lorsqu'il s'agit de la gestion de l'énergie que l'on comprend qu'ils diffèrent des extravertis sous un aspect particulier : ils ont besoin de périodes de calme et d'isolement pour être capables de se consacrer de nouveau aux autres.

Reconnaître le besoin de solitude

C'est parce que ce type de personne semble accessible que son repli sur lui-même pose problème : habituellement, les autres ne peuvent pas voir qu'un flexi-introverti a besoin de moments à lui. Même les introvertis socialement accessibles mettent souvent beaucoup de temps à comprendre qu'ils ont besoin de ces périodes de calme et de solitude : une fois cette période passée, ils adorent être en compagnie des autres ! Mais le don qu'ils ont de s'entendre avec les autres n'a rien à voir avec leur besoin de calme et de solitude. Les flexi-introvertis s'épuisent très facilement parce qu'ils prennent du temps à constater ce besoin et qu'ils aiment la compagnie des autres. Ils ont intérêt à planifier soigneusement des périodes de repos régulières.

Nul doute là-dessus : les introvertis sont autant des êtres sociaux que les extravertis. Ils apprécient les réseaux gérables de contacts fiables. Évaluez vos propres préférences maintenant. Les deux questions qui suivent vous y aideront.

Deux questions pour vous

Avec quel genre de personnes vous sentez-vous particulièrement à l'aise ?

_____

Quelles sont les situations qui vous conviennent le mieux ?

_____

ÊTES-VOUS UNE PERSONNE RÉSERVÉE?

Évaluez vos besoins

La question de savoir si vous êtes une personne réservée est probablement la plus importante de ce livre ; après avoir découvert les principales caractéristiques des personnes réservées, vous devez vous situer dans le continuum entre l'introversion et l'extraversion. Une fois que vous avez trouvé votre place, vous pouvez déterminer les forces et les obstacles qui y sont liés, dans vos contacts avec vous-même et avec les autres. Et vous économiserez ainsi beaucoup d'énergie, de l'énergie que vous consacriez auparavant (comme je l'ai fait) à vivre comme une personne qui n'est pas vous. Et, à tout le moins, cette nouvelle connaissance sur vous-même vous aidera à faire une évaluation consciente de ce dont vous avez vraiment besoin dans une situation particulière.

Le test qui suit vous aidera à vous situer. Versez-vous votre boisson préférée, réservez-vous un quart d'heure tranquille, ayez un stylo à portée de la main et découvrez si vous êtes une personne réservée.

Où vous situez-vous, dans le continuum?

Cochez tous les énoncés qui sont vrais, dans votre cas.

- ❑ 1. Je m'impatiente rapidement avec quelqu'un qui prend du temps à répondre.
- ❑ 2. Je préfère parler à une seule personne plutôt qu'à plusieurs.
- ❑ 3. J'arrive à mieux comprendre mes pensées lorsque j'en parle à d'autres.
- ❑ 4. J'aime que mon environnement soit propre et bien rangé.
- ❑ 5. J'aime agir rapidement lorsque j'ai un pressentiment, plutôt que d'y réfléchir longuement.
- ❑ 6. Si je suis vraiment fatigué, je préfère être seul.
- ❑ 7. Les gens qui parlent rapidement m'épuisent.
- ❑ 8. J'ai des goûts très personnels, très particuliers.

❑ 9. J'évite les foules quand je le peux.

❑ 10. Je trouve habituellement facile de papoter avec les gens, même avec ceux que je ne connais pas.

❑ 11. Si je passe beaucoup de temps avec des gens, souvent, je me fatigue ou je deviens irritable.

❑ 12. Les autres me prêtent habituellement attention quand je parle.

❑ 13. Si j'ai des invités pendant un certain temps à la maison, je m'attends à ce qu'ils donnent un coup de main.

❑ 14. Je préfère travailler à un projet par petites sections, plutôt que de passer beaucoup de temps à un grand travail.

❑ 15. Parfois, je me sens très fatigué après plusieurs conversations ou des conversations bruyantes.

❑ 16. Je n'ai pas besoin de beaucoup d'amis.

❑ 17. Je ne passe pas beaucoup de temps à me demander ce que les autres pensent.

❑ 18. C'est important pour moi d'avoir suffisamment de sommeil.

❑ 19. Je trouve emballant de découvrir de nouveaux endroits.

❑ 20. Les situations inattendues et les dérangements soudains sont éprouvants.

❑ 21. Je crois que les gens trouvent souvent que je suis trop calme, ennuyeux, distant ou timide.

❑ 22. J'aime observer de près et je crois que j'ai le souci du détail.

❑ 23. J'aime mieux parler qu'écrire.

❑ 24. Je me documente soigneusement avant de prendre une décision.

❑ 25. Il me faut souvent beaucoup de temps avant de découvrir des tensions entre les gens.

❑ 26. J'ai une grande sensibilité esthétique.

❑ 27. Je trouve parfois des prétextes pour ne pas me rendre à une réception ou à une autre activité sociale.

❑ 28. Je fais confiance aux gens relativement rapidement.

❑ 29. J'aime réfléchir longuement à une situation et aller au fond des choses.

□ 30. J'évite de parler devant de vastes auditoires quand je le peux.

□ 31. L'écoute n'est pas l'un de mes points forts.

□ 32. Je laisse souvent les attentes des autres exercer trop de pression sur moi.

□ 33. Je réagis habituellement assez bien aux attaques personnelles.

□ 34. Je m'ennuie rapidement.

□ 35. S'il y a quelque chose à célébrer, ça me fait plaisir que ce soit en grand : une réception ou un repas où il y a beaucoup de gens.

Évaluez maintenant vos résultats :

Énoncés d'un introverti : 2, 6, 7, 9, 11, 15, 16, 20, 21, 22, 24, 27, 29, 30, 32.

Énoncés d'un extraverti : 1, 3, 5, 10, 12, 14, 17, 19, 23, 25, 28, 31, 33, 34, 35.

Les énoncés 4, 8, 13, 18 et 26 n'ont rien à voir avec l'introversion ou l'extraversion. Ils sont là pour vous éviter de répondre machinalement.

De quoi ont l'air vos résultats ?

Vous êtes introverti et avez coché au moins trois énoncés d'introverti de plus que d'énoncés d'extraverti :

Plus vous avez coché d'énoncés d'introverti, plus vous êtes introverti. Ce livre vous montrera à cerner vos besoins et à exercer vos point forts. Gardez-le à portée de la main !

Vous avez coché à peu près le même nombre d'énoncés d'introverti et d'extraverti, c'est-à-dire pas plus de deux énoncés de plus d'un côté que de l'autre :

Vous vous situez dans la zone intermédiaire entre introverti et extraverti, et en tant que « centroverti » ou « ambiverti », les deux types de personnalité vous conviennent. Votre comportement est particulièrement souple. Ce livre vous renseignera avant tout sur votre côté introverti, celui qui est probablement le moins évident pour vous.

> **Vous êtes extraverti et avez coché plus d'énoncés d'extraverti que d'énoncés d'introverti :**
>
> Plus vous avez coché d'énoncés d'extraverti, plus vous êtes extraverti. En poursuivant votre lecture, vous découvrirez ce qui allume les introvertis, et ce qu'il y a de différent entre vous. Vous comprendrez mieux un tas de gens de votre entourage et vous vous entendrez mieux avec eux.

Se connaître soi-même rend plus fort

Vous vous êtes maintenant évalué. Comme vous avez coché les éléments qui correspondent à l'image que vous avez de vous-même, les résultats ne vous étonneront pas. Mais cette petite analyse peut faire deux choses pour vous. Premièrement, vous pouvez vous comparer avec d'autres (et avec leurs résultats). Cela pourrait vous mener à une plus grande compréhension l'un de l'autre (par exemple, vous et votre partenaire). Deuxièmement, vous pouvez puiser dans les énoncés des indices sur la manière de composer dans la vie avec vos forces et vos besoins, en tant qu'introverti ou extraverti. Nous sommes au sommet de notre force lorsque nous nous connaissons, que nous reconnaissons nos propres qualités et que nous assumons la responsabilité de nos forces et de nos besoins.

LE TABLEAU DES INTROVERTIS-EXTRAVERTIS

L'extraverti et l'introverti types

Ceux d'entre vous qui préfèrent une étude systématique obtiendront une autre comparaison ici : qu'est-ce qui allume l'extraverti et l'introverti types ?

Le mot-clé est « type » : comme il a été dit, il est rare que des personnalités soient carrément introverties ou extraverties.

Évaluez-vous de nouveau à l'aide des listes ci-dessous : quelles caractéristiques des introvertis et des extravertis présentez-vous ?
- ❏ Davantage de caractéristiques de l'introverti dans l'ensemble.
- ❏ Davantage de caractéristiques de l'extraverti dans l'ensemble.
- ❏ Les deux aspects s'équivalent.

L'extraverti type...	L'introverti type...
se régénère par le contact avec les autres (« l'éolienne »)	se régénère dans la solitude, le calme et le silence
tire son énergie de l'activité et de la communication	a besoin de temps pour se reposer après l'activité et la communication, idéalement, seul
parle ou agit souvent de façon spontanée, sans réfléchir, et met de l'ordre dans ses idées tout en parlant	préfère réfléchir avant de parler ou d'agir, et ne dit rien avant d'avoir envisagé la question sous tous ses angles
préfère agir plutôt que d'observer pendant longtemps	observe beaucoup et agit en conséquence
va de l'avant en raison des pressions exercées par le temps et les échéances, et aime les solutions rapides	trouve les échéances serrées stressantes et préfère avoir plus de temps pour réfléchir avant de prendre une décision
préfère travailler à plusieurs projets simultanément	préfère travailler en profondeur dans un aspect de son travail
a besoin de peu d'espace personnel	aime avoir son espace personnel (par exemple sa propre chambre, de la distance entre les membres du groupe)
croit avoir beaucoup d'amis	croit être proche de quelques personnes qu'il appelle des « amis »
trouve le papotage stimulant et distrayant ; établit de nouveaux contacts avec un tas de gens	trouve le papotage pénible et superficiel ; préfère les discussions en profondeur avec une personne ou un petit groupe ; se réjouit de voir que les autres prennent l'initiative et l'approchent
s'ennuie rapidement	a besoin de peu de stimuli extérieurs

aime travailler avec d'autres en équipe	aime travailler seul ou avec une autre personne
se laisse facilement distraire	se fait facilement dissuader
a besoin de stimuli provenant de gens, de lieux et d'activités	aime avoir ses propres pensées
aime avoir l'assentiment et la rétroaction positive des autres sur ce qu'il fait et réussit	aime se sentir accepté ; cela le rassure et le fait moins douter de lui-même
aime mieux parler qu'écouter	aime mieux écouter que parler ; mais aime parler abondamment des choses qui lui importent, particulièrement en petit groupe
parle volontiers de ses idées et de ses sentiments personnels	fait attention à ce qu'il dit sur des questions et des sentiments personnels ; en dit très peu sur des questions confidentielles ou conflictuelles, et seulement à quelques amis proches
semble souvent agité, susceptible, impatient, hyperactif	semble souvent réservé, lointain, renfermé, arrogant
se sent habituellement dans son élément dans de vastes groupes, dans des situations inattendues ou sous pression ; aime communiquer avec de vastes groupes	se sent presque toujours inhibé dans de vastes groupes, dans des situations inattendues ou sous pression, et a des absences dans les cas extrêmes ; préfère les conversations en tête à tête ou en petit groupe
semble souvent agressif	semble parfois distant
s'intéresse à beaucoup de choses et en connaît peu sur chacune d'elles	s'intéresse à un petit nombre de choses et en connaît beaucoup à leur sujet
aime l'information simple, facilement accessible	a le souci du détail
ne se sent pas particulièrement visé et compose bien avec les conflits	se sent souvent visé, trouve le conflit étouffant
trouve difficile de « persévérer » lorsque la situation se complique ou que des décisions difficiles doivent être prises	se concentre et persévère, même lorsqu'il faut du temps pour régler la situation ou prendre des décisions
parle souvent fort, avec emphase et rapidement	parle souvent bas, sans emphase

Alors ? Êtes-vous introverti ou extraverti ? Divers milieux offrent un cadre où ces deux types de personnalité peuvent s'épanouir. Il existe aussi des circonstances où il est difficile de vivre en fonction de ces types. Les chapitres qui suivent traiteront des situations de ce genre.

Le monde a besoin d'introvertis et d'extravertis

Il faut préciser une chose : quels que soient vos résultats, le monde a autant besoin d'introvertis que d'extravertis. L'espèce humaine (tout comme les règnes animal et végétal) tire profit des contrastes complémentaires. Le monde a besoin d'hommes et de femmes, d'intellectuels et d'émotifs, de sédentaires et de nomades, d'extravertis et d'introvertis. Les extravertis offrent aux introvertis quelque chose qu'ils n'ont pas : une poussée d'énergie, l'action spontanée, la motivation. À l'inverse, les introvertis montrent aux extravertis des choses qu'ils ne semblent pas avoir, par exemple rester calmes lorsque c'est la chose sensée à faire, avoir des relations profondes, réfléchir et être prêts à écouter. Ces forces et d'autres, que se partagent les personnes réservées, constituent le thème central du prochain chapitre.

* * *

POINTS SAILLANTS EN BREF

- Les introvertis et les extravertis diffèrent avant tout dans leur façon de **refaire le plein d'énergie** : les introvertis ont besoin de calme et de silence, alors que les extravertis puisent de l'énergie dans leurs contacts avec les gens et dans leurs activités.
- L'introversion et l'extraversion sont les **deux pôles d'un continuum**. Tous ont une place dans ce continuum, là où ils se sentent le mieux. Idéalement, ils passeront le plus clair de leur temps dans cette position ; trop se forcer à sortir de cette zone de confort peut être malsain. Les **fluctuations** et les **changements** entre l'introversion et l'extraversion sont normaux et peuvent être attribuables à la culture qui prédomine, à la situation particulière, au rôle, à l'âge et même à l'humeur.

- **L'introversion**, la **timidité** et l'**hypersensibilité** sont trois traits différents, qui ne sont pas nécessairement liés entre eux.
- La distinction entre l'introversion et l'extraversion a été établie par Carl Gustav Jung. Les caractéristiques de l'extraversion sont parfois présentées dans la documentation comme «plus saines» que les caractéristiques de l'introversion, ce qui est aussi indéfendable que le contraire.
- Les introvertis et les extravertis diffèrent par la configuration de leur cerveau et par leur activité mentale.
- Plus les introvertis et les extravertis sont familiarisés avec les besoins et les penchants les uns des autres, plus il leur sera facile et agréable d'être en accord avec eux-mêmes et avec les autres.
- Le monde a besoin des caractéristiques de ces deux types de personnalité!

CHAPITRE 2

Les forces des introvertis : le trésor caché

LE COFFRE AUX TRÉSORS DES GENS FORTS

Ce chapitre est censé constituer un coffre aux trésors : vous y trouverez une étude de toutes les forces que possèdent bien des personnes réservées. Cette section est particulièrement importante pour moi. Dans un monde où l'on accorde la plus grande valeur à la communication entre extravertis, les choses que les personnes réservées peuvent faire, réaliser et offrir passent souvent à l'arrière-plan. Mais les introvertis sont tout aussi capables d'utiliser leurs forces pour réaliser les choses qui les intéressent, pour motiver les autres, pour établir et maintenir des contacts, pour résister aux attaques avec confiance, bref, ils peuvent arriver à communiquer tout aussi bien que les extravertis, sur tous les plans. À leur façon. En utilisant leurs propres ressources.

LES INTROVERTIS ONT TENDANCE À L'AUTOCRITIQUE

Ce sont ces ressources que je vais aborder dans ce chapitre. Je les ai colligées au fil de mes années de travail avec des gens réservés. Dans bien des cas, les personnes observées ignorent leurs forces. Les gens réservés ont particulièrement tendance à l'autocritique et doivent souvent faire un effort conscient pour découvrir leurs bons côtés. D'une certaine façon, il est utile que les introvertis se jugent avec rigueur et fixent des normes pour ce qu'ils veulent être, faire et réaliser. Mais d'un autre côté, être trop critique envers soi-même peut miner l'estime de soi, une estime de soi que les gens qui sont moins exigeants envers eux-mêmes présentent à un plus fort degré. Dans le pire des cas, l'autocritique peut même devenir de l'autosabotage.

LES FORCES DES GENS RÉSERVÉS SONT SOUVENT OUBLIÉES

Si vous ne voulez pas que cela vous arrive (encore), vous devez observer attentivement vos forces et votre capacité à en établir la valeur. Les prochaines pages vous aideront à réaliser cette observation et à évaluer le fruit de vos découvertes. Cela pourrait signifier que vous ayez à creuser en profondeur : les choses facilement accessibles sont souvent tenues pour acquises. Et les forces des gens réservés sont souvent discrètes ; il est donc facile de ne pas les voir. Cependant, les forces des introvertis peuvent être très efficaces dans la communication avec soi-même et avec les autres. À la fin de ce chapitre, vous aurez découvert vos avantages, une étape à la fois. Promis !

Vous avez déjà appris, dans le premier chapitre, que les gens réservés, au point de vue neurobiologique, sont allumés par des choses différentes que ce qui intéresse les extravertis. Leurs circuits cérébraux et leur système nerveux autonome sont configurés particulièrement pour la concentration, l'apprentissage, la réflexion et la mémoire, alors que le cerveau des extravertis est davantage axé sur la proactivité et les stimuli du monde extérieur.

Cette distinction permet également de cerner les forces particulières de ces deux types de personnes. Cela ne signifie pas que toutes les personnes réservées possèdent les *dix* forces. Et cela signifie encore moins que les forces mentionnées sont le privilège exclusif des introvertis : les extravertis aussi peuvent posséder l'esprit d'analyse et bien écrire. Mais, très souvent, les gens réservés présentent la plupart des dix forces énoncées dans ce chapitre, d'après mes propres observations et les résultats des études sur les introvertis. Le mieux serait que vous gardiez à l'esprit la question suivante pendant que vous lisez ce chapitre :

PUIS-JE VOIR CETTE FORCE EN MOI ?

SOMMAIRE DES FORCES

Vous pouvez réunir vos réponses en un sommaire, à la fin du chapitre. Ce sera alors votre propre coffre aux trésors. Voici un premier sommaire des forces, comportant quelques mots-clés, pour vous aider à mettre les choses en place.

Sommaire : les forces des introvertis

1ʳᵉ force : la prudence

Procéder avec précaution, éviter les risques et les aventures, observer attentivement, faire montre de respect, réfléchir avant de parler, ne pas être envahissant, fournir avec parcimonie des renseignements sur soi-même.

2ᵉ force : la substance, le contenu

Tirer parti de la profondeur de sa propre expérience, placer l'accent sur l'essentiel, communiquer sur des sujets importants, profonds et de qualité, avoir des conversations significatives.

3ᵉ force : la concentration

Être capable de concentration, de centrer l'énergie avec précision sur une activité interne ou externe, persévérer dans les entreprises avec intensité et régularité, être alerte.

4ᵉ force : l'écoute

Filtrer l'information, les attitudes et les besoins dans ce qu'une autre personne dit, créer un dialogue.

5ᵉ force : le calme

Faire du calme intérieur le pivot de la concentration, de la relaxation, de la clarté et de la substance.

6ᵉ force : la pensée analytique

Faire montre de planification et de structuration, être capable de subdiviser des questions complexes pour en tirer systématiquement de l'information, des attitudes, des solutions et des approches.

7e force : l'indépendance

Pouvoir être seul, autonome, avoir une vie intérieure fondée sur ses propres principes, être détaché de l'opinion des autres, pouvoir faire abstraction de soi.

8e force : la persévérance

Poursuivre des buts avec patience et constance, pendant une longue période, afin de les atteindre.

9e force : écrire (plutôt que parler)

Viser à communiquer plus facilement par écrit qu'oralement, par goût.

10e force : l'empathie

Être capable de se mettre à la place de son interlocuteur, éviter les conflits lorsque c'est possible, placer les qualités et les intérêts communs au premier plan, être prêt à faire des concessions, communiquer avec diplomatie.

1re FORCE : LA PRUDENCE

L'échange de vues circonspect démontre du respect

De prime abord, la prudence ne semble pas une force particulière, en termes de communication. Mais les premières impressions peuvent être trompeuses : les gens prudents font preuve de délicatesse dans leurs rapports avec les autres, plutôt que d'agir avec lourdeur et vigueur. Ils traitent les autres avec compréhension, tact et respect et ne se montrent pas inflexibles.

Comme vous le savez déjà, l'outillage neurobiologique différent chez les introvertis et les extravertis signifie que les extravertis agissent en fonction de la récompense, alors que les introvertis se préoccuperont avant tout de la sécurité. La prudence, en tant que caractéristique, est une conséquence positive de cette quête de sécurité : les gens réservés observent et réfléchissent en profondeur avant de prendre des risques, s'ils en prennent…

Mais les risques et les aventures ne se présentent pas seulement sous forme de sauts à l'élastique et de placements : ils adoptent aussi la forme de communications. Les gens prudents préfèrent éviter les comparaisons risquées, les suggestions agressives, les idées soudaines ou même les attaques de front. Deux choses importent pour ces personnes lorsqu'elles traitent avec d'autres : d'abord, elles tiennent à garder une distance respectueuse. Elles n'ont pas l'intention d'en révéler trop à leur sujet. Elles réservent ce qui les allume, ce qui leur importe et ce qui les enthousiasme pour leurs bons amis. Elles se comportent aussi avec respect envers les autres et préfèrent garder leurs distances, au départ. Et puis, les gens réservés ne disent pas de choses à moitié réfléchies ou mal conçues, et ne prennent pas de décisions rapides, fondées sur l'intuition. Elles exigent davantage d'elles-mêmes : elles aiment mûrir et examiner les idées sous tous leurs angles avant de les exprimer en mots. Et elles ont tendance à avoir une piètre opinion des énoncés hâtifs émis par les autres.

Lorsque la prudence devient peur

Le revers de la prudence est la réticence avec laquelle les gens réservés communiquent de l'information sur eux-mêmes, ou s'enthousiasment à propos de quelque chose. L'extraverti qui est le destinataire pourrait voir cela comme de la distanciation ou de l'indifférence. Dans les cas extrêmes, la prudence devient peur et donc, un obstacle. Nous nous pencherons là-dessus au début du prochain chapitre.

Mais les gens qui prennent part à une conversation pourraient accueillir favorablement la prudence de leur interlocuteur : ils pourraient ainsi sentir qu'on les prend au sérieux et que l'on n'exerce pas de pression sur eux. Ce qu'une personne réservée dit avec précaution n'est pas considéré comme une affirmation de soi, et cela fournit de la substance, du contenu. Et nous en venons directement à la deuxième force.

2ᵉ FORCE : LA SUBSTANCE

La communication, avec une dimension de profondeur

Les introvertis traitent constamment les impressions. Ils sont toujours préoccupés par ce qu'ils voient, pensent et vivent. Ils réfléchissent tout au long de leurs heures de travail : à propos d'eux-mêmes et des autres, du sens et de la signification, de ce qui est et de ce qui devrait être. Cette activité d'arrière-plan est typique du cerveau des introvertis, et c'est l'une des meilleures conséquences : elle mène à une importante accumulation de contenu. Cela signifie que, lorsque des personnes réservées communiquent, ce qu'elles transmettent aux autres est profond, car leurs propos sont sûrement passés par une phase d'essai et de filtrage mental approfondi, y compris tout le contexte environnant. C'est pourquoi ce que disent les introvertis est souvent particulièrement important, profond et utile. Ce sont là les trois aspects du contenu, de la substance.

Une préférence pour les amitiés vraies et profondes

La substance est également essentielle dans les rapports avec les autres : les gens qui ont de la substance trouvent plus utile et agréable, dans des activités sociales, d'avoir des discussions véritables avec peu de gens, que de rencontrer un tas de gens de façon superficielle. Ils seront plus intéressés par le contenu d'un énoncé, et moins par la formulation et la présentation du contenu. Ils sont capables d'établir des amitiés profondes et véritables qui peuvent durer toute une vie et, même si ces relations ne sont pas nombreuses, elles leur importeront davantage qu'un large cercle de connaissances superficielles.

L'impression de passivité

Mais la substance a ses inconvénients : comme dans le cas de beaucoup de bonnes choses, elle se forme graduellement. Autrement dit, les gens de substance sont souvent trop lents dans des situations exigeant des communications «rapides», car ils ont besoin d'assez de temps pour cogiter avec la profondeur nécessaire. Cela s'applique particulièrement aux cas où il faut soupeser des idées ou composer avec une controverse. Par conséquent, les gens de substance sont souvent considérés à tort comme passifs ou graves parce qu'on ne peut pas voir l'activité intense qui se déroule dans leur esprit.

C'est pourquoi le statut d'une personne ou le bavardage ont rarement de l'importance pour les personnes de substance et ce sont même des concepts qui sont tout à fait étrangers à certaines d'entre elles. Cette attitude est avantageuse pour les personnes réservées dans bien des situations, par exemple au cours d'une bonne conversation ou d'un débat théorique, de la lecture d'articles philosophiques ou de réunions visant la résolution de problèmes.

3ᵉ FORCE : LA CONCENTRATION

Croître par la force de la concentration

Bien des gens réservés sont dotés d'une grande capacité de concentration. Ils sont capables de rester très longtemps absorbés par une même question. C'est facile à expliquer : contrairement aux extravertis, les introvertis ont besoin de peu de rétroaction et de sensations externes. Les conséquences appréciables de la concentration profonde sont nombreuses et variées : les gens qui sont capables de se concentrer font ce qu'ils ont à faire plus facilement et mieux que les gens qui se laissent aisément distraire. Selon toutes les probabilités, ce sur quoi ils se concentrent est destiné à croître. Nikolaus Enkelmann, ancien maître de la communication, a formulé ce principe de la croissance parmi ses 14 principes de vie : la loi de la concentration.

La concentration assure une forte présence

Les gens concentrés traitent la question en cause avec toute leur attention. Cela signifie qu'ils rayonnent d'une intensité qui donne de la puissance à leur présence et qu'ils peuvent impressionner grandement leurs interlocuteurs. On peut le voir, par exemple, lors de conférences où des gens réservés utilisent leurs ressources discrètes pour captiver leur auditoire. Ainsi donc, il n'est pas essentiel, pour un introverti, d'être sous les feux de la rampe. Il n'a pas besoin d'occuper le devant de la scène pour communiquer, ni d'avoir un vaste auditoire. Cela a d'agréables conséquences en ce qui concerne ses interlocuteurs : ils peuvent lui accorder toute l'attention qu'il mérite. L'attention est une monnaie précieuse dans les rapports sociaux : tout le monde aime être remarqué. Voilà un capital important pour les personnes qui peuvent se concentrer !

Lors d'activités sociales, toute personne qui peut laisser aux autres de l'espace pour communiquer aura un tas de conversations intéressantes qui seront encore rehaussées par la 2e force, la substance. Et la force suivante est aussi très utile.

4e FORCE : L'ÉCOUTE

Des monologues au lieu de vrais dialogues

L'écoute est sans doute l'une des compétences les plus sous-estimées dans les relations humaines. Si vous écoutez les conversations types, vous remarquerez, surtout lorsque ce sont des extravertis qui s'expriment, que le dialogue est en fait une série de monologues : pendant qu'une personne dit quelque chose, l'autre est en train de décider quoi dire, au lieu d'écouter attentivement. Mais, dans un échange d'opinions, la capacité d'écoute fournit l'occasion de créer un véritable dialogue, au cours duquel les interlocuteurs s'écoutent l'un l'autre, de sorte qu'ils auront obtenu le point de vue de l'autre personne, une fois la conversation terminée.

L'avantage des introvertis : une écoute véritable

Beaucoup de personnes réservées ont une bien meilleure écoute que la plupart des gens. Elles assimilent l'information en tant qu'observateurs et traiteurs d'impressions nés, et évaluent celles-ci au cours de réflexions subséquentes, ainsi que pendant leurs réparties. Elles savent comment filtrer l'essentiel de ce qui a été dit : qu'est-ce qui est important pour l'autre personne ? Quelle information est pertinente ? Comment s'imbrique-t-elle dans l'ensemble ? L'écoute véritable est donc un processus intense et très actif, alimenté de surcroît par la 3e force, la concentration.

La force de l'écoute est très utile pour la personne qui est écoutée : lorsqu'on est « tout ouïe », on accorde son attention pleine et entière à son interlocuteur. C'est bon pour toutes les personnes en cause, et cela fait des merveilles pour nouer des relations, résoudre des conflits, ou créer une atmosphère propice à la négociation.

5ᵉ FORCE : LE CALME

La signification du calme intérieur et du calme extérieur

Le calme présente deux aspects : le *calme extérieur,* qui est l'absence de stimuli externes, alors que le *calme intérieur* est un état mental. Ces deux aspects peuvent aider les personnes réservées dans leurs communications, mais seul le calme intérieur, à strictement parler, peut être considéré comme une force personnelle. Cependant, le calme extérieur est si important pour les personnes réservées qu'il mérite une attention particulière.

Le calme extérieur

Toutes les personnes réservées savent que le calme extérieur est essentiel lorsqu'elles veulent travailler de façon intensive ou qu'elles ont besoin d'une nouvelle source d'énergie.

Accumuler de l'énergie avec calme

C'est pourquoi vous avez sûrement besoin de vous enfermer pour réfléchir ou pour refaire vos forces après un épisode épuisant. Dans les pays favorables aux introvertis tel le Japon, il est considéré comme courtois de laisser de la place pour le silence, même dans une conversation. Les communicateurs professionnels recommandent même de garder délibérément le silence dans certaines situations. Pour les introvertis, en particulier, ce peut être une puissante ressource rhétorique, dans le bavardage, par exemple (voir le chapitre 6), ou au cours de négociations (voir le chapitre 7). Ce qu'il y a d'agréable, avec le calme extérieur, c'est l'absence d'agitation. Cela rend possible de traiter l'information et d'atteindre le calme intérieur en même temps. Une personne réservée qui n'a pas la possibilité d'avoir un peu de tranquillité dans un contexte relaxant en remarquera rapidement les conséquences : la tension, l'irritabilité et l'épuisement en sont les symptômes types.

Le calme est sain

Le calme extérieur est un important facteur de bien-être. Une étude finlandaise de longue haleine sur les maladies cardiaques (Cardiovascular Risk in Young Finns Study) a démontré que les femmes qui sont sensibles au bruit ont tendance à mourir plus tôt : il semble clair qu'il existe un lien entre le stress auditif et le stress physique général, qui se manifeste par l'accélération du pouls, la hausse de la pression artérielle et la prédisposition aux accidents vasculaires cérébraux et aux crises cardiaques. Cette constatation est importante car les introvertis sont souvent sensibles au bruit. Il est non seulement agréable de s'assurer des périodes de calme, mais c'est également sain. Il n'est cependant pas clair si ces avantages concernent autant les extravertis que les introvertis.

Carl Gustav Jung soulignait aussi que les introvertis semblent avoir besoin de moins de nouvelles impressions que les extravertis. C'est pourquoi de nombreux introvertis trouvent le calme extérieur agréable, indépendamment du fait qu'il leur permet de refaire le plein d'énergie : leur intense vie intérieure leur fournit assez de stimulation, et ils ne sont pas distraits par le monde extérieur. Cela leur procure davantage d'espace pour réfléchir et pour gérer leurs expériences. Le calme des introvertis est précieux pour les extravertis, car les gens réservés les incitent à prêter attention à eux-mêmes et à leurs besoins, et à réfléchir avant d'agir. La capacité de créer le calme extérieur doit donc assurément être considérée comme une force.

Le calme intérieur

La voie de la lumière

Le calme est beaucoup plus que l'absence d'irritants extérieurs. C'est aussi, et des millénaires de tradition spirituelle le démontrent, la seule voie menant à la lumière : sur nous-mêmes, sur les autres et sur la vie. Mais cela signifie également une autre sorte de calme : le *calme intérieur*, état qui entraîne des changements mesurables dans le cerveau.

La paix intérieure par la méditation

Les gens qui méditent régulièrement en sont la preuve : des études neurologiques (par exemple celle qui a été réalisée par Andrew Newberg et Eugene d'Aquili) ont démontré que chez les gens qui méditent, les zones du cerveau liées au bonheur, à la paix intérieure et à la dépendance de l'ego à l'égard du monde environnant sont plus actives. En même temps, lorsque les gens méditent, une moins grande quantité d'énergie est dirigée dans les zones qui alimentent l'agressivité, le besoin de fuir ou le comportement compulsif.

LE CALME INTÉRIEUR EST SYNONYME DE CLARTÉ,
DE VUE POSITIVE DU MONDE ET DE CONCENTRATION.

Il y a aussi une autre bonne nouvelle pour les gens réservés : la méditation améliore la capacité de distinguer les irritants majeurs des irritants mineurs. Cela signifie que le cerveau fonctionne plus efficacement dans l'ensemble, car il peut diminuer son activité totale et doit donc dépenser moins d'énergie. Par ailleurs, il peut se concentrer davantage sur des tâches importantes et plus difficiles. Autrement dit, les 3e et 5e forces devraient être considérées comme liées entre elles : un plus grand calme signifie une meilleure concentration !

Le succès grâce à une meilleure combinaison des forces

Moins de dépense d'énergie et davantage de concentration : il ne s'agit pas d'une contradiction. Dans son livre sur le silence, George Prochnik (2010) compare cette apparente contradiction à un athlète d'élite dont le pouls ralentit davantage que celui du sportif occasionnel, mais qui obtient de bien meilleurs résultats en compétition parce qu'il est capable de combiner ses forces selon ses besoins et peut rapidement augmenter ou diminuer sa dépense d'énergie.

LES FORCES DE LA CONCENTRATION ET
DE LA PAIX INTÉRIEURE SONT LIÉES.

La paix intérieure apporte aux gens la relaxation, comme le fait leur environnement. La vitesse à laquelle ils parlent et leurs pauses pour réfléchir apportent un certain calme dans leurs interactions avec les autres. Cela signifie que dans une conversation décontractée, par exemple, ou lors d'une chaude discussion ou de négociations, il est possible de garder l'atmosphère agréable, dans l'ensemble, et cela dissipera un peu le stress.

6ᵉ FORCE : LA PENSÉE ANALYTIQUE

Une plus grande distance par rapport au monde extérieur

Les gens réservés n'ont pas le monopole de la pensée analytique, mais un bon nombre d'entre eux sont capables de grandes réalisations dans ce domaine. Le flux constant de leurs processus intérieurs place les introvertis plus loin du monde extérieur que les extravertis : ils filtrent et traitent sans arrêt, et ils réfléchissent aussi plus longtemps et plus en détail que les extravertis, autrement dit, avec concentration et persévérance (3ᵉ et 8ᵉ forces).

La prédominance du cerveau droit ou du cerveau gauche

Il existe aussi un groupe de gens réservés qui semblent particulièrement doués au point de vue analytique. Le moment est tout indiqué pour parler d'une subdivision utilisée d'abord par Olsen Laney dans son livre, publié en 2002, afin de clarifier la différence entre divers types d'introvertis. Tant chez les extravertis que chez les introvertis, un hémisphère (gauche ou droit) du cortex cérébral est plus prononcé que l'autre. Les gens ont donc une prédominance du « cerveau droit » ou du « cerveau gauche ». Le cortex droit est le domaine de l'intuition et de la pensée picturale, alors que le cortex gauche est lié au traitement de textes, de nombres et aux connexions logiques. Voici un résumé qui vous aidera à déterminer votre côté dominant.

Quel est le côté de votre cerveau qui domine ?

Le cortex gauche	Le cortex droit
coordonne le côté droit du corps	coordonne le côté gauche du corps
traite l'incidence des éléments d'information individuels	relie les éléments d'information individuels pour créer un grand tableau d'ensemble
décode le langage parlé et écrit	décode les émotions, les idées et les signaux du langage corporel
est le siège de la pensée logique et de la résolution de problèmes fondée sur les faits	est le siège de la pensée intuitive et de l'empathie
traite les nombres, les quantités et les calculs	traite les images, les modèles, les formes et les perspectives spatiales
aborde les questions scientifiques	aborde l'expression artistique, p. ex. dans les domaines du théâtre, de la musique et de la peinture
traite l'information de façon séquentielle (linéaire)	traite les éléments d'information en même temps, dans un aperçu global

Cette présentation est légèrement simplifiée : les hémisphères gauche et droit du cerveau participent tous deux à la plupart des activités, mais le résumé présente les zones focales de chaque activité.

Les introvertis axés sur le cerveau droit

Les gens réservés dont le cortex droit domine ont tendance à traiter l'information de façon subjective et intuitive, comme une « conviction profonde », un « pressentiment ». Ils ont souvent des dons artistiques, ils réagissent plus émotivement que les gens axés sur le cerveau gauche et sont doués pour l'improvisation. Ils trouvent plus facile que les gens « cerveau gauche » de composer avec les situations où ils doivent relever plusieurs défis à la fois.

Les introvertis axés sur le cerveau gauche

Les gens réservés dont le cortex gauche domine, d'après Olsen Laney, se rapprochent davantage du stéréotype d'introverti : ils ont besoin de moins de contacts sociaux et ont tendance à être orientés « objets » et « théorie ». Cela leur permet de se distancier de leur entourage dans une certaine mesure, ce qui constitue une bonne base pour la pensée analytique ! Les introvertis « cerveau gauche » peuvent maintenir l'ordre dans leur esprit et dans leur environnement, et ils ont tendance à prendre des décisions fondées sur la raison, plutôt que sur les émotions. Ils se laissent plus facilement submerger par un trop grand nombre d'exigences que les gens « cerveau droit », et ils traitent systématiquement une chose après l'autre. Ils présentent une bonne dose de pensée analytique.

LA FORCE DE LA PENSÉE ANALYTIQUE EST UN SUPPLÉMENT OFFERT AUX INTROVERTIS « CERVEAU GAUCHE », EN PARTICULIER.

Les avantages pour les adeptes de la pensée analytique

Les gens dotés d'une pensée analytique vont au fond des choses. Leurs forces résident dans la recherche, la comparaison et l'exploration. Ils peuvent décomposer des situations complexes en éléments individuels et fixer des catégories, puis s'en servir comme base en vue d'élaborer des stratégies relatives à ce qu'ils ont à dire ou à faire. Ils procèdent de la même façon pour prendre position dans une conversation, pour trouver des solutions ou des mesures à adopter. Les personnes dotées de la pensée analytique excellent dans la planification et le traitement des écrits, même lorsque cela comporte beaucoup de chiffres.

La pensée analytique est très précieuse dans les domaines exigeant de se fonder sur de l'information exacte, de théoriser sur de nouvelles connaissances et de les catégoriser, par exemple dans des domaines universitaires, dans le contrôle des choses et dans toutes les sphères où la résolution de problèmes est importante : en médecine, en TI ou dans le traitement des technologies à risque.

L'utilisation d'une analyse rigoureuse pour éviter une trop grande stimulation

L'analyse rigoureuse est également utile pour imposer une structure aux situations déroutantes et elle peut, dans une certaine mesure (ce qui est particulièrement important pour les gens axés sur le cerveau gauche), permettre d'éviter une trop grande stimulation (décrite comme le 3e obstacle, dans le prochain chapitre). Si une dispute commence, au cours d'une réunion, les gens dotés d'une pensée analytique peuvent se demander : quelle est l'information importante, dans cette situation ? Qui représente quel point de vue ? Cette attitude permet de tracer des voies dans une avalanche d'impressions et de se distancier de la situation elle-même. Ces approches rendent la vie plus facile, particulièrement chez les introvertis plus sensibles.

7e FORCE : L'INDÉPENDANCE

Les introvertis diffèrent des extravertis sur un point crucial : comme nous l'avons vu au premier chapitre, ils dépendent moins de la réaction des autres et des impressions de leur entourage. Cela les rend plus indépendants, de façon générale.

Heureux d'être seul

L'indépendance ressort particulièrement dans le fait que les gens réservés trouvent facile d'être seuls ; ils ont même besoin d'être seuls pour recharger leurs batteries. Les gens indépendants sont moins préoccupés par ce que les autres pensent, et ils trouvent plus facile de dire et de faire ce qu'ils considèrent comme important et correct. (Cela s'applique aux introvertis «cerveau droit» de façon limitée [voir les explications à la 6e force] car ils réagissent plus émotivement à leur entourage.)

L'actrice britannique introvertie Tilda Swinton en est un bon exemple : elle est mariée à un peintre et écrivain plus âgé, ils ont eu des jumeaux ensemble, mais elle entretient une autre relation avec un artiste plus jeune et a révélé dans une interview que son idée du bonheur serait de dormir dans son propre lit pendant six mois.

L'indépendance signifie donc l'autosuffisance et la liberté intérieure. Elle procure la capacité de se prendre en main et de prendre des décisions sans constamment chercher à se faire rassurer par les autres. Le revers de la médaille est que cela éloigne de la communication, de la capacité de vivre avec d'autres et du travail d'équipe.

La capacité d'être altruiste

J'ai gardé pour la fin ce qui est probablement la forme la plus élevée d'indépendance : la capacité de faire abstraction de soi-même. Dans le cas d'un caractère mûr et indépendant, les actes ne sont pas guidés par la vanité, l'ambition ou le besoin de reconnaissance. D'autres éléments sont nécessaires : l'ensemble du problème, les choses importantes et précieuses (2e force : la substance, le contenu) ou d'autres personnes et leurs besoins (10e force : l'empathie). Il est intéressant de constater que la capacité d'être altruiste ne peut que découler d'une saine confiance en soi.

8e FORCE : LA PERSÉVÉRANCE

La persévérance intentionnelle

La persévérance est la capacité de poursuivre une situation ou une idée, même si le succès est lent à venir ou que l'on nous résiste. Cette caractéristique est différente de la fixation (que vous verrez plus bas, en tant qu'obstacle) : la fixation dénote un manque de souplesse, ce qui signifie que la personne en question restera sur ses positions lorsqu'elle communique. La force ici est essentiellement la patience délibérée.

Les gens réservés persévèrent aussi dans leur façon de travailler : ils sont plus enclins que la moyenne à aller au fond des choses, et ils sont préparés à affronter de graves problèmes. Ils se concentrent sur quelque chose, sont extrêmement consciencieux et ne se laissent pas aussi facilement distraire que les extravertis, qui sont plus enclins à se laisser gagner par des stimulations externes.

Plus de résistance pour plus de compétence

Cette force facilite la planification et la tenue d'importantes conversations et négociations. Elle permet de décider plus facilement s'il vaut la peine de s'en tenir à sa position et de déterminer s'il existe une marge de manœuvre. C'est une force qui mène au genre de résistance dont bien des extravertis ne peuvent que rêver et qui ouvre la voie à la performance optimale : le psychologue de recherche Anders Ericson a conclu, à la suite des études qu'il a réalisées, qu'il faut 10 000 heures de pratique assidue dans tout domaine pour atteindre la performance d'un expert (cité dans Cain, 2000).

Marie Curie, à titre d'exemple

L'un des modèles célèbres pour illustrer la persévérance est Marie Curie, deux fois lauréate du prix Nobel : physique, en 1903, et chimie, en 1911. Elle s'est consacrée très tôt à la science, en dépit de nombreux obstacles. Elle a été refusée à l'Université de Varsovie, alors elle est allée étudier en France. Elle a financé ses premières recherches en enseignant dans une école de filles et son œuvre de pionnière dans le domaine de la radioactivité a souvent exigé qu'elle répète certaines expériences plusieurs centaines de fois. La persévérance semble un préalable important à l'atteinte de réalisations extraordinaires.

9e FORCE : ÉCRIRE (PLUTÔT QUE PARLER)

Le médium préféré des introvertis

Bien des gens réservés préfèrent communiquer par écrit, que ce soit pour eux-mêmes (p. ex. un journal personnel, un agenda, un projet) ou avec d'autres (textos, courriels, lettres, blogues, ou réseau en ligne). Étant donné qu'ils jonglent avec les idées avant de les mettre en mots pour communiquer, l'écriture semble un bon moyen d'expression. Et puis, l'écriture suit leur cadence personnelle : le geste de coucher les mots sur papier ralentit la communication, et ils n'ont pas à s'adapter à la vitesse de leur interlocuteur. Ainsi, lorsque les gens écrivent, ils peuvent suivre leur propre rythme.

Les réseaux numériques (Twitter, Facebook, les forums en ligne et les clavardoirs) méritent un chapitre en eux-mêmes. Bien des gens réservés apprécient ce genre de contacts parce que la communication se fait par écrit et permet de garder une certaine distance. Vous trouverez plus de renseignements sur ce genre de réseautage au chapitre 6.

Les avantages de la communication écrite

Il existe aussi des possibilités au point de vue professionnel pour les gens qui préfèrent l'écriture à la parole. Les mots peuvent être soupesés et formulés avec plus de précision dans un courriel qu'au téléphone. Le sommaire d'un projet écrit dans un site intranet permet à tous les membres de l'équipe d'en prendre connaissance et de contribuer au projet quand ils le désirent. Un bref compte rendu à propos des objectifs à atteindre pourrait être plus utile qu'un rapport verbal lors d'une réunion. Les réunions et les discussions des groupes de travail peuvent être planifiées à l'aide de mots-clés et de brefs exposés écrits. Les gens réservés qui préfèrent l'écriture peuvent alors se joindre au groupe avec plus de confiance : ils ont réfléchi à l'essentiel et pris des notes pour s'en souvenir.

Une seule condition doit être remplie : la communication écrite devrait convenir à la situation, et non servir à éviter un échange de vues direct.

10ᵉ FORCE : L'EMPATHIE

La force intuitive

Les gens dotés d'empathie peuvent se mettre à l'écoute de leur interlocuteur, ce qui se fait au moyen de la force intuitive, plutôt qu'en recourant à des stratégies particulières. Ils trouvent facile de mettre le doigt sur ce qui allume les autres ; ils peuvent donc cerner ce qui leur importe et ce dont ils ont besoin. La capacité de se mettre à la place de quelqu'un d'autre est aussi de l'empathie. Il est plus probable que les gens axés sur le «cerveau droit» et les introvertis extrêmement sensibles soient dotés de cette force que les gens axés sur le cerveau gauche. Cette distinction corticale est expliquée dans les notes sur la 6ᵉ force.

Les neurones miroirs rendent possible l'empathie

Les neurobiologistes ont démontré que ce sont ce qu'on nomme communément les «neurones miroirs» du cerveau humain qui rendent l'empathie possible. Bien sûr, tant les introvertis que les extravertis ont des neurones miroirs. Alors, pourquoi l'empathie est-elle une force des personnes réservées? Comme pour la 7e force, l'indépendance, la réponse réside dans une caractéristique propre aux introvertis : contrairement aux extravertis, ils ont besoin de moins de confirmations et d'assurance de leurs pairs. Et puis, cela leur importe moins de se comparer aux autres sur les plans du statut, de l'intérêt qu'ils présentent et du succès qu'ils remportent. La plupart des gens réservés ont plutôt un «arbitre» intérieur, qu'ils consultent tout le temps. Cette indépendance par rapport aux autres, alliée à la tendance à analyser et à catégoriser, donne beaucoup de latitude aux introvertis pour prêter attention à leurs pairs, avec tous leurs besoins et leurs caractéristiques. Les introvertis peuvent alors se fonder sur ces connaissances lorsqu'ils communiquent. Les conséquences en sont positives : dans ce qu'ils ressentent et disent, ils traitent leur interlocuteur comme une vraie personne.

Établir la confiance grâce à l'empathie

L'empathie est soutenue par une autre caractéristique que l'on trouve chez les gens réservés : la tendance à prêter attention à l'environnement et à traiter correctement les impressions ressenties. Les gens réservés qui ont de l'empathie trouvent facile de gagner la confiance des autres. S'ils ont aussi de la substance (2e force) et qu'ils ont une bonne écoute (4e force), ils peuvent être des compagnons et des contacts précieux, pour les extravertis aussi, qui se sentent souvent à l'aise, acceptés et soulagés d'un poids avec eux. Et toute personne qui négocie et fait montre d'une pensée analytique (6e force) ainsi que d'empathie peut être tout simplement irrésistible.

Ce sont aussi les gens dotés d'empathie qui constatent les compromis possibles et peuvent les proposer avec diplomatie. C'est parce qu'ils ne sont pas limités à un éventail d'intérêts, mais qu'ils peuvent voir tous les aspects d'une chose, les aspects éthiques compris. Ils savent que le monde ne tourne pas autour d'eux. Les gens empathiques suscitent peu de conflits lorsqu'ils agissent parce qu'ils se soucient des autres et cherchent des solutions avec eux. Ils sont également moins agressifs : ils comprennent très bien tout le stress qu'un comportement agressif peut entraîner.

La capacité d'empathie peut être diminuée par la peur ou par une trop grande stimulation (voir les 1er et 2e obstacles au chapitre 3).

OÙ RÉSIDENT VOS FORCES ?

L'estimation de vos propres forces

Les gens réservés, comme nous l'avons vu au début de ce chapitre, sont plus enclins à l'autocritique qu'à la vantardise à propos de leurs forces. Vous connaissez maintenant les forces d'un bon nombre d'introvertis. Pouvez-vous reconnaître aussi les vôtres ? Ne vous en faites pas si vous avez des doutes : ce n'est pas inhabituel. Voici quelque chose qui vous aidera : répondez aux trois questions qui suivent. Elles sont destinées à faire taire la voix intérieure critique et à vous faire graduellement voir vos points forts.

Trois questions pour vous

1. Pensez à une personne modèle que vous admirez. Quelles sont les forces de cette personne que vous admirez particulièrement ?
2. Songez à une personne que vous aimez et appréciez beaucoup. Si je lui demandais ce que sont vos forces, que répondrait-elle ?
3. Quelles sont vos forces ? Incluez les réponses aux questions 1 et 2 dans votre liste.

1re force : la prudence

2e force : la substance, le contenu

3e force : la concentration

4e force : l'écoute

5e force : le calme

6e force : la pensée analytique
7e force : l'indépendance
8e force : la persévérance
9e force : l'écriture
10e force : l'empathie

Une autre force : _____

Une autre force : _____

Une autre force : _____

Je suis : ❏ essentiellement «cerveau gauche».
❏ essentiellement «cerveau droit».

Mes trois plus grandes forces sont :
1. _____

2. _____

3. _____

La personne modèle à laquelle on s'identifie

Vous êtes-vous demandé pourquoi vous deviez inclure les caractéristiques de votre personne modèle des questions 1 et 2 dans votre propre profil de forces ? C'est parce que la personne modèle est quelqu'un à qui vous vous identifiez. Lorsqu'on recherche ce modèle, on est inconsciemment en quête de caractéristiques qui sont importantes et précieuses pour soi. Ainsi, une personne pour qui la position sociale et le succès financier comptent particulièrement aura davantage tendance à choisir Rockefeller que mère Teresa (qui était introvertie, en passant) comme modèle, et quelqu'un qui se passionne pour la science choisira Einstein (un introverti), plutôt que Lady Gaga (qui n'est pas introvertie, je crois, mais qui sait…). Cela signifie qu'il y a de fortes probabilités que vous présentiez les caractéristiques de votre modèle, dans une certaine mesure.

Cultivez vos forces

Examinez vos forces. Il faut être fier de ce que l'on découvre. L'étape suivante consiste à prêter une attention consciente à ces forces : au bout du compte, c'est notre plus grand capital, notre coffre aux trésors personnel. La psychologie positive conseille de miser sur ses forces avant tout pour développer sa personnalité et pour en tirer le meilleur parti possible. Les tests de personnalité et les systèmes tels que « Strengths Finder » ou le Profil Reiss commencent aussi par l'analyse des points forts de la personne. Vous accomplirez beaucoup plus en vous concentrant sur vos forces qu'en travaillant laborieusement sur vos faiblesses, parce que vous construisez à partir de qui vous êtes et de ce dans quoi vous excellez. Vous trouverez ainsi plus facile de réussir et vous serez plus authentique que si vous tentez d'atteindre les forces que présentent les autres en cherchant à éliminer vos propres faiblesses : vous dépenseriez alors plus d'énergie pour obtenir moins de succès.

Davantage de questions pour vous

Repensez à votre période scolaire.
1. Quelle était votre pire matière ?
2. À quel point avez-vous pu vous améliorer, moyennant beaucoup de préparation et d'efforts ?
3. Par contre, quels résultats avez-vous pu obtenir, avec la même préparation et les mêmes efforts, dans votre meilleure matière ?

Utilisez vos forces pour mieux communiquer

Nous retenons pour la vie un tas de choses que nous apprenons à l'école : les matières pour lesquelles nous ne sommes pas particulièrement doués et qui nous déplaisent nous apporteront relativement peu de succès. Il vaut donc mieux cultiver les forces que nous avons cernées. La première étape consiste à examiner de près la façon dont nous utilisons concrètement nos forces lorsque nous communiquons. Ne craignez pas d'inclure les forces qui sont moins marquées que vos trois points les plus forts. Au bout du compte, nous parlons ici de votre potentiel de développement dans vos rapports avec les autres. Les énoncés au haut du tableau vous donnent un exemple de ce dont votre «coffre aux trésors» personnel pourrait avoir l'air.

Comment pouvez-vous utiliser vos forces?

Ma force :	Je peux utiliser cette force lorsque je traite avec des gens pour :	Je peux utiliser cette force particulièrement bien dans les situations suivantes :
Substance, contenu	Faire passer la conversation à un niveau plus profond	Quand je connais bien mon interlocuteur, quand l'atmosphère est détendue

Prenez soin du coffre aux trésors qui contient vos forces

Vous vous connaissez maintenant beaucoup mieux. Prenez bien soin du coffre aux trésors qui contient vos forces : réfléchissez avant de parler à d'autres, et gardez à l'esprit ce que vous pouvez apporter à la communication pour qu'elle soit réussie. Organisez les situations de manière à en tirer le meilleur parti. Vous ferez, je vous le promets, une découverte étonnante : en utilisant délibérément vos forces «tranquilles» ou «réservées», vous changerez la façon dont les autres vous traitent, en plus du fait que vous exprimerez mieux vos buts et vos intérêts.

* * *

POINTS SAILLANTS EN BREF

- Les introvertis ont des forces qui leur sont propres. Cela les aide à traiter avec eux-mêmes et avec les autres et à composer avec diverses exigences.
- Les 10 forces sont : la prudence, la substance, la concentration, l'écoute, le calme, la pensée analytique (dans le cas des introvertis axés sur le cerveau gauche), l'indépendance, la persévérance, l'écriture et l'empathie.
- Utiliser et étendre ses forces personnelles améliore la communication, tout en rendant possible le fait de vivre avec authenticité.

CHAPITRE 3

Les besoins des introvertis : les obstacles qui se dressent devant les introvertis

LE REVERS DE LA MÉDAILLE

Cette section serait comme le revers du chapitre précédent, qui vous a donné un aperçu du «coffre aux trésors» destiné à la communication dont disposent les gens réservés. Comme il n'y a pas de lumière sans ombre, chaque trésor a son prix. Chaque force a son «revers». Si le cerveau d'un introverti a des forces particulières, il y a donc nécessairement des sphères qui sont moins développées. Ou encore, la force particulière comporte ses propres pièges qui peuvent faire du tort à la communication. Il n'y a rien de parfait !

Par exemple, la caractéristique d'introspection que présentent les gens réservés est une force reliée à la concentration, à la substance et à l'analyse (dont vous avez pris connaissance, en plus de certaines de vos autres forces, dans le dernier chapitre). Le revers de la capacité d'introspection, ce sont les lacunes dans les sphères qui tirent parti de l'orientation vers l'extérieur, comme les stimuli découlant du contact intense avec beaucoup de gens, ou la capacité de montrer ses propres réalisations au travail sous l'éclairage approprié et d'aborder les conflits de manière active.

CONNAÎTRE SES PROPRES POINTS DE PRESSION

Mais les termes tels que «faiblesses» et «obstacles» ne sont pas utiles. Tous les gens réservés devraient connaître leurs propres «points de pression», car ils permettent d'identifier leurs besoins particuliers. Par exemple, une trop grande stimulation nécessite du doigté dans l'utilisation des ressources énergétiques personnelles. La peur des conflits appelle au traitement analytique des situations tendues. Autrement dit, les obstacles qui se présentent sous la forme de besoins sont de remarquables indications en matière d'établissement de communication personnelle.

Comme dans le chapitre précédent, vous pouvez prendre connaissance d'un résumé assorti de brefs commentaires; cette fois, il s'agit des points faibles et des besoins qui rendent les gens réservés vulnérables aux attaques.

Sommaire : les obstacles qui se dressent devant les introvertis

1er obstacle : la peur
La réticence et l'incertitude dans les rapports avec les autres.

2e obstacle : le trop grand souci du détail
Les éléments d'information individuels qui empêchent de voir les priorités et d'avoir une «vue d'ensemble».

3e obstacle : la trop grande stimulation
Les exigences excessives provenant d'impressions trop nombreuses, trop fortes ou trop rapides.

4e obstacle : la passivité
L'absence de stimuli personnels, la stagnation, la persévérance nuisible.

5e obstacle : la fuite
L'évitement de situations et de choses qui doivent être faites.

6e obstacle : le fait d'être trop cérébral
La négligence des sentiments.

7ᵉ obstacle : l'auto-illusion
Les caractéristiques et les besoins d'un introverti réprimés, ou évalués d'une façon négative.

8ᵉ obstacle : la fixation
La rigidité dans la communication.

9ᵉ obstacle : l'évitement des contacts
L'évitement des gens.

10ᵉ obstacle : l'évitement des conflits
Le fait de céder ou de se refermer sous la pression.

1ᵉʳ OBSTACLE : LA PEUR

La peur est un important stimulus qui a son siège dans une partie du cerveau où elle est particulièrement puissante : dans les parties profondes, le système limbique et l'amygdale, où l'accès au subconscient est facile. Nous abordons cet obstacle plus en détail parce que c'est celui qui peut se dresser le plus souvent et avec le plus de constance.

La peur opportune et la peur inopportune

La peur n'est pas nécessairement une mauvaise chose. Si elle survient dans des circonstances opportunes, elle nous empêche de faire des choses imprudentes, comme de plonger d'un tremplin dans un lac, sans savoir nager. Elle nous protège aussi contre les risques qui ne peuvent pas être évalués, comme de sauter d'un point élevé avec seulement un anneau de caoutchouc passé autour de la cheville en guise de protection. Bref, la peur est un soutien à la vie dans les moments *opportuns*. Voici donc les messages qui s'ensuivent logiquement : «Ne fais pas cela! Ne bouge pas! Ne te fais pas remarquer! Reste tranquille! Ne prends pas de risques!» Et cela s'observe particulièrement dans les réunions d'affaires : beaucoup de gens obéissent à ces messages.

LA PEUR OPPORTUNE PROTÈGE ; LA PEUR INOPPORTUNE PARALYSE.

Lorsque la peur paralyse

Cela nous amène aux peurs inopportunes, intrusives, qui inhibent et même paralysent, comme lorsqu'on craint de faire des choses qui sont importantes et précieuses pour nous : par exemple prononcer une allocution, émettre une suggestion lors d'une séance plénière à un congrès, avoir une conversation conflictuelle. D'accord, direz-vous, mais les extravertis n'ont-ils pas autant de craintes que les introvertis ? La peur est une caractéristique propre à l'humain. La réponse est : oui et non. D'une part, oui : la peur est une émotion qui fait partie de notre outillage humain de base et nous la connaissons tous. D'autre part, non : la peur semble affecter davantage la communication des gens axés sur l'introspection que ceux qui sont tournés vers l'extérieur. Autrement dit, la peur a tendance à empêcher davantage les introvertis de traiter sans inhibition avec les autres qu'elle ne le fait pour les extravertis. Je vois trois raisons à cela.

Premièrement, par comparaison avec les extravertis, les introvertis ont besoin de moins de contacts avec l'extérieur et de plus de stimuli internes (sujet abordé au premier chapitre). C'est pourquoi la communication ne peut pas neutraliser le sentiment de crainte. C'est différent pour les extravertis : se tourner vers les autres est particulièrement attrayant pour eux et cela signifie qu'ils peuvent facilement surmonter leur crainte.

Deuxièmement, les introvertis sont probablement plus portés à avoir peur que les extravertis, parce qu'ils sont particulièrement aptes à émettre des hypothèses : dans l'ensemble, les introvertis ont tendance à s'occuper plus souvent de leurs émotions car ils ont un degré d'activité interne plus élevé que les extravertis. La peur peut produire un effet tel que la personne en question n'entreprendra tout simplement pas certaines activités et préférera les mettre de côté dès le départ.

Troisièmement, les introvertis sont programmés biologiquement pour la sécurité (voir le premier chapitre), ce qui signifie que leur cerveau enregistre les risques potentiels plus rapidement et plus clairement, et que la peur est donc facilement déclenchée. Si la peur est puissante au point de dominer l'action, cela mène à une caractéristique qui peut handicaper en permanence les gens réservés dans leurs rapports avec les autres : la timidité.

Pour affronter la peur

Neutralisez la peur délibérément
En tant que personne réservée, comment pouvez-vous empêcher votre peur de vous dissuader de faire quelque chose que vous jugez important? Bonne question. Vous trouverez des réponses concrètes à cette question dans les chapitres qui suivent, qui sont toujours liés directement à une certaine situation. Mais, fondamentalement, une chose est vraie dans tous les cas: vous pouvez neutraliser la peur avec d'autres parties de votre cerveau, soit les parties conscientes. Toutes les stratégies recommandées ici ont une chose en commun: elles ne cherchent pas à vous faire éviter vos peurs, bien au contraire!

Composer avec la peur: stratégies générales

1. Prenez conscience de votre peur.

Les jeunes enfants craignent souvent les monstres tapis sous leur lit. La première étape est la thérapie anti-monstres: de la lumière sur l'épicentre de la peur (autrement dit braquer une lampe de poche sous le lit) fait disparaître les monstres, et une bonne partie des peurs qu'ils suscitent.

2. Gardez à l'esprit la raison pour laquelle ce que vous voulez faire est si important; tellement important que vous voulez vous risquer à le faire, malgré vos craintes.

Cette deuxième étape signifie vous donner consciemment le pouvoir de décision, et écarter le pouvoir de vos craintes. Le siège de la peur, situé dans le cerveau, craint particulièrement l'échec. Dans le cas en question, vous décidez de faire quelque chose de tellement utile que cela justifie de courir le risque de l'échec.

C'est la meilleure façon d'étendre votre zone de confort: vous avez conscience de votre peur et, en même temps, vous prenez des risques calculés qui en valent la peine parce que l'objectif visé vous importe.

Nommez votre crainte à voix haute

Le principal obstacle est de changer vos habitudes. Toute déroga-
tion aux habitudes représente un dérangement pour le cerveau,
mais particulièrement pour le cerveau anxieux. Cesser de suivre
les sentiers battus qui font réagir systématiquement est stressant;
comme l'expérience est inhabituelle, les résultats sont incertains. Il
est donc très important que vous agissiez avec détermination.
Seth Godin recommandait des mesures encore plus radicales dans
son livre intitulé *Linchpin*. Il dit que toute personne qui fait part de
ses craintes à voix haute élimine celles-ci. Essayez: «J'ai peur
de prononcer cette allocution parce que j'ai des adversaires dans
l'auditoire.»

Ouvrez de nouvelles voies dans votre esprit

D'un point de vue neurobiologique, la deuxième phase est la meilleure stratégie possible: le cortex central, le siège de la pensée
consciente, est capable de calmer le centre de la peur dans le cerveau (l'amygdale). Si vous pouvez déterminer pourquoi ce qui
vous fait peur est si important, vous aiderez votre cerveau à tracer
de nouvelles voies. Une fois qu'elles sont établies, le centre de la
peur n'a plus besoin d'être aussi actif dans la zone de l'action en
question. Dans le cas d'allocutions, cela pourrait vouloir dire qu'au
lieu de ressentir de la panique, vous pourriez subir tout au plus un
léger inconfort.

2e OBSTACLE: LE TROP GRAND SOUCI DU DÉTAIL

Trop d'éléments d'information

De nombreux introvertis ont tendance à voir les éléments d'information individuels comme un tout. Cela a un lien avec leur capacité d'analyse particulièrement puissante, et ce processus
s'applique spécialement aux gens réservés dont le cerveau gauche
prédomine (voir l'explication au deuxième chapitre, sous la
6e force). Analyser signifie diviser un tout en ses différents éléments afin de pouvoir l'examiner en profondeur. Un trop grand
souci du détail (la fragmentation) constitue le revers de cette

médaille : les observateurs se perdent dans les détails, au lieu de construire une vue d'ensemble. Le portrait global de ce qui importe vraiment est perdu.

Cet obstacle peut être utile dans certaines situations, par exemple lorsqu'un vérificateur recherche une erreur dans un bilan. Mais, dans les situations de communication, la tendance à avoir un trop grand souci du détail signifie souvent qu'un intro-verti (peut-être au cours d'une conversation, d'un débat ou de négociations) s'empêtre dans de menus détails, plutôt que de por-ter son attention sur le tableau d'ensemble ou sur ce dont son inter-locuteur a besoin. Allié au perfectionnisme, le trop grand souci du détail peut mener à la microgestion et à l'obsession du contrôle, deux caractéristiques qui poseraient problème aux gens qui doivent assumer des responsabilités de gestion. Un trop grand souci du détail peut aussi constituer un piège lorsqu'on utilise les menus propos comme outil de réseautage. Le chapitre 6 vous montrera comment éviter cette situation.

3e OBSTACLE : LA TROP GRANDE STIMULATION

Trop grande quantité, et trop stressante

La trop grande stimulation signifie qu'une situation vous prive de votre énergie parce que les impressions sont très diversifiées. Cela peut se produire lorsque trop d'impressions vous submergent en même temps. Mais cela peut aussi survenir parce que votre envi-ronnement est trop bruyant ; un tas de gens réservés sont sensibles au bruit et perdent leur concentration si le bruit est trop intense (niveau sonore 3) et leur décontraction (niveau 5).

Trop rapide, trop stressant

La hâte excessive peut aussi causer une trop grande stimulation, par exemple lorsque quelqu'un insiste pour que l'on prenne rapi-dement une décision, le fait de parler à une cadence plus élevée que d'habitude ou de signaler son impatience par le langage cor-porel (tambouriner, taper du pied, regarder l'heure avec impa-tience). Quelle que soit sa nature, une trop grande stimulation fatigue les gens réservés, et cela peut jeter une ombre sur les rencontres. La socialisation devient donc stressante. C'est pourquoi de nombreux introvertis gèrent avec soin leurs activités sociales et se montrent très sélectifs à cet égard.

Le risque provient du fait que la perspective d'une trop grande stimulation rend les gens réservés passifs (4e obstacle), désireux de fuir (5e obstacle) et les porte à éviter les contacts sociaux (9e obstacle), éléments qui nuisent tous à la communication. Une pression délibérée dans les négociations, un échange agressif ou un auditoire agité lors d'une conférence peuvent réduire grandement les effets d'une bonne préparation et l'influence de la personne qui reçoit cette trop grande stimulation.

Trouver des sources d'énergie — s'assurer d'un temps d'arrêt

Faites une pause pour recharger vos batteries
Vous savez déjà que les gens réservés ne rechargent pas leurs batteries de la même façon que les extravertis. Ils ont besoin de calme, de solitude et de réflexion pour pouvoir récupérer. Par ailleurs, ils dépensent comparativement plus d'énergie pour communiquer avec les autres, surtout dans les menus propos, dans les situations chargées d'émotivité comme les conflits, et dans leurs interactions avec de vastes groupes. Mais une journée normale, truffée de «changements rapides» peut facilement épuiser un introverti. Il peut s'agir d'un flux constant d'interruptions, d'appels téléphoniques, de clients de passage, ou même de petits enfants avec leurs idées surprenantes et leurs crises soudaines.

Tous ceux qui savent cela savent aussi que le temps d'arrêt est un besoin majeur et non négociable chez les gens réservés. Si ce besoin est sacrifié en raison de délais serrés, le prix à payer sera important et, surtout, lié intrinsèquement à la situation : les introvertis qui n'ont pas la possibilité d'être seuls se refermeront sur eux-mêmes si on leur puise trop d'énergie. Ils se joindront à moins de conversations et de discussions, et rechercheront moins de contacts lors d'activités sociales, car tout cela exige beaucoup de travail, sans temps d'arrêt pour récupérer.

Les autres, qui ne comprennent pas toujours le besoin de solitude, considéreront que la personne garde ses distances, qu'elle est ennuyeuse ou qu'elle s'ennuie. Dans un contexte professionnel, les gens qui ont besoin de prendre du recul sont considérés comme inabordables, incapables de s'affirmer ou même comme présentant des difficultés intellectuelles. Les conséquences que cela peut avoir pour une carrière sont évidentes.

Les façons de récupérer de l'énergie

Si les gens réservés résistent constamment au besoin d'être seuls, ils vont s'épuiser. Dans le pire des cas, ils souffriront du syndrome d'épuisement professionnel : la surconsommation constante de sa propre énergie se paie très cher. N'en venez pas à cela ! Vous pourrez éviter ces problèmes si vous reconnaissez que vous avez besoin de temps d'arrêt. Vous trouverez ici les stratégies les plus importantes à cet égard. Dans le présent chapitre, nous gardons délibérément ces stratégies sur un plan très général. Vous trouverez de l'aide concrète dans les chapitres thématiques, en fonction des causes particulières.

Gestion de l'énergie : stratégies générales

1. Déterminez le genre de situations et de personnes qui sapent particulièrement votre énergie.

Réduisez le plus possible ce genre de rencontres et d'obligations. Prévoyez toujours à l'avance des temps d'arrêt lorsque vous devez vous trouver dans une situation ou une réunion stressante avec des gens stressants.

2. Assurez-vous de pouvoir faire des pauses à intervalles réguliers, idéalement tous les jours (au moins une demi-heure), tous les mois (au moins une demi-journée) et tous les ans (au moins un week-end ou une semaine).

Peu importe à quel point vous vous éloignez du quotidien : ce qu'il faut, c'est que vous puissiez prendre du recul. Utilisez ce temps d'arrêt

pour faire quelque chose que vous aimez vraiment : rêvasser, lire, faire de la photo, vous balader, élaborer des théories, observer les oiseaux, faire la sieste, méditer, résoudre des sudokus, tout ce qui vous plaira !
3. Combinez l'exercice et le repos.

Trouvez les mouvements qui vous redonnent de l'énergie, et ceux qui vous en font dépenser. Un tas de gens réservés aiment les sports qui leur permettent de faire de courtes pauses, comme la randonnée pédestre, la course, le cyclisme, la natation, le yoga ou le Pilates. Vous trouverez mes suggestions de sports pour les introvertis au quatrième chapitre.

4ᵉ OBSTACLE : LA PASSIVITÉ

La différence entre le calme et la passivité

Le calme est bon, mais pas la passivité. En fait, il existe une différence cruciale entre ces deux termes : le calme (dans le sens de la 5ᵉ force) est toujours une attitude intérieure de base qui permet de se concentrer et d'agir délibérément. Mais la passivité laisse supposer un élément de déni. Les gens passifs refusent de prendre des initiatives et d'exploiter les stimuli. Ils restent assis à attendre, sans force, dans une attitude de défi, ou rigides comme sous l'effet d'un choc, et ils préfèrent souffrir de la situation, plutôt que d'essayer de la changer. Cela englobe l'ennui et les relations toxiques.

Renforcez votre voix

Le manque de force peut souvent être décelé dans la voix : beaucoup de gens réservés parlent doucement, autrement dit à voix basse et, surtout, en n'y mettant pas assez d'intensité. Une voix basse, au débit lent, peut faire une puissante impression si l'intonation est énergique. Mais une voix au débit trop rapide ou trop lent, qui est également douce et a peu d'intensité, ne produit pas beaucoup d'effets dans les communications. Le signal qu'elle envoie est : « Je suis trop faible. » Et c'est ainsi que bien des gens (surtout les extravertis) réagissent lorsqu'ils écoutent : ils sous-estiment ce qui est dit, ne l'entendent pas comme il faut ou deviennent impatients.

UNE VOIX DOUCE, RELATIVEMENT PEU INTENSE, RISQUE DE DÉTRUIRE L'EFFET DE CE QUI EST DIT, QUELLE QUE SOIT L'IMPORTANCE OU LE GÉNIE DE CE QUI EST DIT.

Réagissez lorsqu'on vous attaque

Les gens qui préfèrent ne pas réagir en cas d'attaque sont égale-ment passifs : ils espèrent qu'en ne faisant rien, la situation s'amé-liorera. Mais il est rare que ce genre d'amélioration se produise. Au contraire, quiconque laisse les autres franchir les limites du respect personnel les invite à continuer à le faire.

Mais la passivité n'est pas nécessairement sans fondement. Elle comporte des aspects tout à fait avantageux pour les gens réservés, et leur semble donc logique : elle est confortable, elle contribue à éviter une trop grande stimulation (3e obstacle) et per-met donc aux introvertis d'économiser de l'énergie. Dans le pire des cas, cette façon d'économiser de l'énergie peut mener à mettre son existence en veilleuse, presque littéralement. Les autres agissent, mais on agit souvent contre les gens passifs (lorsque des décisions doivent être prises, par exemple, ou qu'une promotion doit être accordée), ou on les met de côté. Les autres offrent des stimuli, mais les gens passifs doivent être poussés à agir, sinon ils attendent, là où ils sont. C'est tout aussi désavantageux pour une carrière que dans les relations personnelles, sans parler de la frus-tration que cela crée pour la personne concernée. Les gens qui laissent les autres gérer leur vie en viennent à ne plus se croire capables de réussir à façonner et à contrôler leur propre vie. Quel prix à payer ! Vous trouverez des stratégies relatives à la passivité au chapitre 6, qui traite de l'établissement de liens sociaux.

Les introvertis ont besoin de temps pour réfléchir

À ce stade-ci, il importe de faire le point sur un autre malen-tendu. Comme les gens réservés aiment réfléchir profondément sur un sujet avant de dire quoi que ce soit (de là, la 3e force, la substance), on les écarte souvent en les croyant passifs, même si, dans ces cas, ils ne le sont pas. C'est parce que les introvertis ont besoin de plus de temps pour assimiler toutes les impressions et les informations qu'ils ont reçues. L'extraverti type n'aime pas attendre longtemps pour obtenir une information dans une conversation, et il continue de parler parce qu'il n'attend plus de réponse. Par conséquent, il en vient à la conclusion suivante, tant consciemment qu'inconsciemment : son interlocuteur introverti doit être passif. Et, dans ce cas, ce n'est tout simplement pas exact. Il est vrai que l'activité en elle-même (réfléchir, soupeser et formuler) est intérieure, et donc invisible. Si vous avez une conversation téléphonique ou en personne et que vous avez besoin de temps pour réfléchir, vous devriez en faire part. En voici quelques exemples.

Exemples de phrases permettant de prendre le temps de réfléchir

« Laisse-moi une minute pour y penser. »

« Oui, je comprends que c'est urgent. Je communiquerai avec vous dès que je le pourrai. »

« Vous soulevez une question épineuse. Qu'en pensez-vous ? »

« Attendez ; laissez-moi un instant. »

« Pourrais-je vous rappeler plus tard à ce sujet ? »

« Je vais y penser et vous rappeler. Est-ce que demain, ça irait ? »

Assurez-vous de faire ce que vous avez dit. Ces phrases vous laissent du temps pour réfléchir, mais ce sont aussi des promesses que vous devez tenir : exprimez votre point de vue, présentez une idée, et montrez votre substance et votre capacité d'analyse !

5e OBSTACLE : LA FUITE

Contrairement à la passivité, la fuite est une action, mais, malheureusement, elle mène dans la mauvaise direction. Prendre la fuite signifie «éviter en battant en retraite». Une situation peut devenir un trop grand souci (comme dans le cas de la passivité, 4e obstacle) à la suite d'un trop grand stimulus (3e obstacle) mais d'autres éléments peuvent aussi en être la cause. En fuyant, la personne en question cherche à détourner l'attention ou à partir vers une activité moins stressante, ou un environnement différent. Cela élimine l'anxiété existante, mais peut-être aussi ce qui a besoin d'être fait. C'est ce qu'on appelle la procrastination : la tendance à reporter. On élimine l'allocution redoutée devant un vaste auditoire en reportant constamment l'idée de la préparer. On ne prend pas rendez-vous avec le patron pour discuter d'une hausse salariale parce qu'on a tant à faire...

Parfois, la fuite est la ressource privilégiée pour conserver un reste d'énergie. Mais elle peut aussi empêcher la personne concernée d'agir et d'atteindre ses buts. C'est que la peur ou la paresse est la principale force en arrière-plan, qui bloque la communication significative. Dans ce cas aussi, le prix à payer est élevé : rédiger une allocution à la dernière minute est extrêmement stressant, surtout s'il s'agit d'une personne réservée qui a besoin de temps pour réfléchir. Et d'autres personnes obtiendront cette augmentation de salaire...

6e OBSTACLE : LE FAIT D'ÊTRE TROP CÉRÉBRAL

Retourner une question dans son esprit est une bonne chose, de prime abord. Beaucoup de gens réservés sont de brillants penseurs, capables de réaliser des choses magnifiques en raison de forces personnelles comme la substance, le calme et la pensée analytique.

Les inconvénients de la réflexion

Le fait d'être excessivement cérébral, parmi les divers obstacles, est l'aspect potentiellement négatif de la réflexion : cela devient un problème lorsque l'esprit bloque l'accès aux émotions. Les gens réservés se limitent ainsi en accordant trop peu d'attention à leur côté émotionnel, et trop à leur côté rationnel. Être trop cérébral est aussi nuisible aux rapports avec les autres : les gens trop cérébraux négligent l'aspect émotionnel de leur interlocuteur, n'essaient pas de s'imaginer dans un état émotionnel et s'en tiennent aux faits lorsqu'ils échangent des idées.

Ne sous-estimez pas le facteur «relations»

La communication peut avoir des conséquences malheureuses. Même au travail, l'aspect émotionnel d'un échange d'idées revêt beaucoup d'importance. L'échange de faits ne constitue qu'une petite proportion des impressions en cause, qu'il s'agisse de négociations ou d'une réunion, d'une conversation à la pause du midi, ou d'une allocution donnée devant un petit groupe de collègues. Certains psychologues de la communication ne situeraient pas cette proportion d'échange de faits à plus de 20 %. Ils croient que les 80 % restants sont composés de signaux liés aux émotions et aux rapports qu'entretiennent les participants entre eux.

Avez-vous établi que le fait d'être trop cérébral constitue l'un de vos obstacles personnels ? Vous découvrirez, au chapitre 7, qui traite de la négociation intelligente, la manière d'agir pour que ce trait de caractère ne vous nuise pas.

7e OBSTACLE : L'AUTO-ILLUSION

Lorsqu'on réprime les besoins

C'est là un obstacle particulier : il s'agit de la perception que les gens introvertis ont d'eux-mêmes par rapport au monde qui les entoure. L'auto-illusion, l'aveuglement ou l'abnégation signifie que les gens réservés répriment leurs besoins et leurs traits particuliers ou qu'ils les perçoivent sous un jour négatif. Cela se produit le plus souvent lorsque les introvertis vivent parmi des gens en majorité extravertis. Cela peut d'abord se présenter comme un trait culturel, comme aux États-Unis, où la plupart des comportements sociaux sont extravertis. Dans une culture bruyante, tournée vers l'extérieur, les gens réservés peuvent en venir à penser, directement ou indirectement, qu'il y a «quelque chose qui ne va pas» chez eux. Peut-être est-ce pour cette raison que la plupart des livres sur les personnalités introverties sont publiés aux États-Unis!

Aliénation de soi ou des autres

Ensuite, l'auto-illusion ou l'abnégation peut se produire lorsqu'une personne réservée représente une minorité dans la famille ou parmi les collègues parce que la plupart des autres sont extravertis. Ces introvertis courent deux risques, en pareilles circonstances, comme le soulignait Laurie Helgoe (2008) dans son livre. Soit *ils s'aliènent du point de vue social, autrement dit ils s'éloignent des gens qui les entourent*. Cela peut les mener à éviter les contacts sur une grande échelle (9e obstacle), ce que nous aborderons plus en détail, un peu plus loin dans ce chapitre. Soit *ils s'aliènent eux-mêmes*. Dans notre esprit, cela correspond exactement à l'abnégation.

LES GENS RÉSERVÉS QUI CONSIDÈRENT LEUR INTROVERSION COMME UNE DÉVIANCE PAR RAPPORT AU MONDE QUI LES ENTOURE RISQUENT L'ALIÉNATION SOCIALE, OU L'AUTO-ALIÉNATION.

L'auto-illusion peut prendre plusieurs visages. Le comportement extraverti peut devenir une mesure de la bonne communication pour les flexi-introvertis socialement abordables (ce qui est expliqué au premier chapitre), s'ils ont tendance à l'auto-illusion. Ils auront l'impression qu'ils ne sont pas en position d'adopter ce comportement extraverti intégralement, car ils peuvent effectivement agir comme des extravertis, mais ils ne considèrent pas, comme eux, qu'il s'agit d'une expérience positive. L'auto-abnégation les empêche de reconnaître leurs propres besoins d'introvertis et d'en tenir compte. Mais les flexi-introvertis demeurent des introvertis. Bien sûr, ils aiment traiter avec les gens comme des extravertis, mais dans une mesure différente.

8ᵉ OBSTACLE : LA FIXATION

Lorsque la persévérance se sclérose

La fixation est la forme sclérosée de la persévérance, et cela mène à un blocage de la communication. Bien des gens réservés qui se heurtent à cet obstacle trouvent désagréable d'avoir à renoncer à leurs habitudes, par exemple s'ils doivent travailler à des heures inhabituelles ou s'adapter à des conditions qui ne leur sont pas familières lors d'un voyage d'affaires. La fixation peut surgir sous la forme d'une dispute dans la communication, si des gens réservés adoptent une position rigide et préfèrent s'accrocher aux détails plutôt que de regarder le tableau dans son ensemble.

La souplesse est nécessaire dans les négociations

Dans les situations où il est particulièrement important de pouvoir faire montre de souplesse, dans les négociations par exemple, la fixation peut empêcher de reconnaître les critères de décision, les approches de solutions et les besoins de l'interlocuteur. Le chapitre 7 vous montrera la façon d'agir dans de telles situations.

La fixation est une stratégie pour économiser de l'énergie

Comme les autres obstacles présentés dans ce chapitre, la fixation est avant tout une stratégie d'économie d'énergie. Une personne qui agit presque toujours de la même façon a un genre de pilote automatique interne qui semble rendre la prise de décisions inutile. Les tendances profondes et les rituels prennent la place des décisions conscientes.

Les avantages des rituels dans la vie de tous les jours

Les rituels en eux-mêmes ne sont pas nécessairement négatifs. Ils comportent aussi leurs avantages dans la communication : ils nous aident à réagir de la façon appropriée et avec confiance dans certaines situations, et nous apportent des certitudes. Voici un exemple tiré de la vie de tous les jours : vous présentez deux personnes avec lesquelles vous avez eu des discussions dans un contexte professionnel. Cela vous semblera plus facile et vous aborderez la situation avec plus de confiance si vous savez :

1. qui présenter à qui (la personne la moins importante à la personne la plus importante) ;
2. les renseignements intéressants que vous pouvez mentionner en plus du nom et du titre de la personne pour briser la glace ; peut-être un intérêt commun (comme le théâtre, la boxe), des emplois semblables (l'enseignement ou la gestion scientifique), ou un nouvel élément d'information positive à propos de l'une des personnes que vous présentez (le fait qu'elle ait été honorée récemment ou qu'elle ait obtenu un nouvel emploi).

Se montrer souple en fonction de la situation

Les rituels tels que présenter des gens simplifient un peu la vie. Ils supposent une certaine expérience dans les rapports avec les gens et ils établissent une base stable, de sorte que l'on puisse se concentrer sur autre chose. C'est différent lorsqu'il s'agit d'un « pilote automatique » qui enlève toute souplesse dans les relations avec les autres, car la souplesse est importante dans les situations sortant de l'ordinaire.

Les gens qui réagissent toujours de la même façon (par exemple en se taisant ou en insistant sur des détails) en réaction à un contretemps particulier (comme la résistance de l'interlocuteur dans les négociations) nuisent à la réussite de la communication en raison de cette rigidité. Cela rend également leurs réactions prévisibles pour les autres, et donc aussi pour ceux qui veulent agir contre eux. Il est facile de déclencher certains mécanismes pour susciter une réaction particulière. Et ce qui est encore pire, c'est le prix que les gens réservés ont à payer pour leur fixation : ils se privent d'une marge de manœuvre, et ainsi de la confiance nécessaire pour gérer une situation de manière proactive, en gardant un œil sur tous les facteurs importants.

9e OBSTACLE : L'ÉVITEMENT DES CONTACTS

Les raisons pour éviter les contacts

Les gens réservés préfèrent habituellement avoir un nombre restreint de bons amis, plutôt que d'avoir un tas de contacts superficiels. C'est tout à fait légitime. Mais plus une personne se situe dans la zone «introverti» de l'échelle «introverti-extraverti», plus elle a tendance à éviter les gens parce qu'elle les trouve pénibles ou ennuyeux. C'est là que surgit la difficulté. Les gens qui évitent les contacts se coupent du monde extérieur et évitent les autres. Ils sont contents lorsqu'ils peuvent poursuivre seuls leurs activités habituelles (danger supplémentaire : la fixation ; voir le 8e obstacle). Il peut y avoir toutes sortes de raisons à cela : la personne concernée est un travailleur acharné, l'objectif visé par l'établissement de la relation exige un dur labeur, ou la personne réservée en a tout simplement assez du tourbillon des contacts humains.

Éviter l'isolement

Cette approche signifie que les gens réservés risquent de se trouver dans une situation extrême : l'isolement social. Ils sont laissés à eux-mêmes, avec leurs pensées et leurs émotions. Il en résulte qu'il leur manque d'importants stimuli et des rectifications de la part des autres, tant dans leur vie privée que dans leur vie professionnelle. S'il faut du travail d'équipe ou de la coordination avec d'autres, la communication deviendra rapidement difficile, qu'il s'agisse de planifier des vacances avec des membres de la famille ou de réaliser un projet au travail. Les autres en viennent rapidement à considérer ceux qui évitent les contacts comme un peu étranges.

Le stéréotype classique de celui qui évite les contacts est le mari introverti qui se réfugie dans son atelier après une longue journée de travail et qui restaure des meubles ou qui construit un modèle réduit de chemin de fer, plutôt que de parler à sa femme. La patronne introvertie agit de la même façon : pendant les fêtes de Noël, elle se retire dans un coin avec son téléphone intelligent comme alibi pour fuir le brouhaha et, surtout, les tentatives de papotage de ses collègues.

Fuir et éviter les contacts

La différence avec la fuite (5e obstacle) réside dans l'objectif de l'évitement. La personne qui fuit évite des choses qui devraient être faites ou certaines situations en les repoussant ou en faisant autre chose. Mais la personne qui évite les contacts essaie de ne pas avoir de rapports avec les gens qu'elle trouve pénibles. Cela peut avoir de très désagréables répercussions sur les relations interpersonnelles, surtout si on y allie le prochain obstacle, la peur des conflits.

Les introvertis qui s'aliènent socialement (l'explication est fournie au 7e obstacle, à la page 80) peuvent travailler à temps plein à éviter les contacts : ils se sentent incompris et rejetés par les gens qui les entourent. Cela peut avoir d'importants effets sur la communication : dans les cas extrêmes, les introvertis qui évitent les contacts peuvent devenir des solitaires amers, ressentant de l'antipathie pour leurs semblables.

10e OBSTACLE : L'ÉVITEMENT DES CONFLITS

Les introvertis sont-ils plus pacifiques ?

Un détail intéressant revient souvent dans la documentation sur les gens réservés : même dans leur jeune âge, les introvertis semblent avoir pris part à moins de conflits que les extravertis. Sont-ils plus pacifiques ? Ou sont-ils plus disposés à l'harmonie ? Je crois que la raison réside ailleurs.

Pourquoi les introvertis évitent les conflits

Les conflits font partie des relations humaines parce que nous sommes tous différents en matière de personnalité, de désirs, d'objectifs et de particularités. Ils peuvent survenir n'importe où, mais la plupart des gens les trouvent difficiles à résoudre : discuter de conflits prend beaucoup de temps, est relativement stressant, et les résultats ne sont prévisibles que dans une certaine mesure. Par conséquent, la plupart des gens ne parlent de conflits que lorsque cela semble justifier l'énergie qui y est investie. Dans ces circonstances, les extravertis et les introvertis semblent avoir différentes façons d'évaluer les choses : en général, les introvertis adoptent plus rapidement l'idée qu'un conflit pourrait devenir trop stressant. De plus, comme ils se préoccupent beaucoup de la sécurité, ils en viennent très vite à craindre que la communication ne dérape. Cela démontre que la peur

(1er obstacle) a un rôle à jouer dans la résistance au conflit. Alors que dans le cas des personnes tournées vers l'extérieur, le prix à payer pour consacrer de l'énergie à la même situation n'est pas trop élevé : elles préfèrent une ligne de résistance à la stagnation dans leur propre frustration.

Et les désavantages qui en découlent diffèrent pour les deux types de personnes : lorsqu'ils s'efforcent de régler des conflits, les extravertis peuvent s'engager dans des luttes verbales extrêmes, alors que les introvertis se retourneront dans leur lit, incapables de dormir parce qu'ils songent au conflit qu'ils refusent de régler, mais qui les perturbe tout de même beaucoup.

Au chapitre 7, l'exemple de négociation illustrera concrètement comment traiter les conflits de manière constructive, lorsqu'ils surgissent à la suite d'attentes contraires.

QUELS SONT VOS OBSTACLES PERSONNELS ?

Évaluez vos propres obstacles

À l'instar du chapitre précédent, où je vous proposais d'examiner vos forces, je vais maintenant vous demander de passer vos obstacles personnels sous la loupe.

Une question pour vous

Quels sont les obstacles des introvertis présentés dans ce chapitre qui s'appliquent à vous ?
1er obstacle : la peur
2e obstacle : le trop grand souci du détail
3e obstacle : la trop grande stimulation
4e obstacle : la passivité
5e obstacle : la fuite
6e obstacle : le fait d'être trop cérébral
7e obstacle : l'auto-illusion
8e obstacle : la fixation

9e obstacle : l'évitement des contacts
10e obstacle : l'évitement des conflits

Mes trois plus grands obstacles sont :
1. _____
2. _____
3. _____

Déduisez vos besoins d'après les obstacles auxquels vous faites face

Faisons un pas de plus et servons-nous de vos obstacles pour établir vos besoins : notez ci-dessous les obstacles dont vous avez particulièrement conscience et les conséquences que cela a pour vous. Puis, réfléchissez au besoin qui se cache derrière cet obstacle et à la façon dont vous pourriez combler ce besoin. Assurez-vous d'avoir assez de temps pour réfléchir à ces questions en toute quiétude. Ici aussi, je vous ai fourni un exemple pour que vous puissiez voir de quoi votre liste pourrait avoir l'air.

Quels sont vos besoins ?

Mon obstacle	J'en ai particulièrement conscience dans les situations suivantes, et les conséquences sont :	Cela me démontre que j'ai ce besoin, et voici ce que je peux faire à ce sujet :
Une trop grande stimulation.	Dans des activités sociales : il y a trop de monde, un bruit de fond trop intense. Conséquence : du stress. C'est pourquoi j'essaie d'éviter les occasions de ce genre.	Je préfère parler à une seule personne, dans un endroit tranquille. À l'avenir, je pourrais prévoir à l'avance à qui j'ai envie de parler, et peut-être fixer un rendez-vous. Et je peux toujours essayer de trouver un « coin tranquille ».

Les obstacles sont des indicateurs de besoins

L'exercice précédent vous a fait connaître une partie importante de vous-même et vous en savez maintenant davantage sur vos besoins dans des situations de communication. Ainsi, de la même façon que vous pouvez puiser dans votre «coffre aux trésors» des forces, vous devriez utiliser vos obstacles en tant qu'indicateurs de ce qu'il vous faut pour être à l'aise dans vos interactions avec des gens. Beaucoup d'introvertis découvrent que leurs forces et leurs obstacles sont reliés. Par exemple, l'indépendance, du côté des forces, peut avoir son revers qui sera la peur, en tant qu'obstacle, ou l'évitement des contacts. La prudence est la sœur de la peur, tout comme le calme s'apparente à la passivité, et la concentration, au trop grand souci du détail. Relisez vos notes du chapitre précédent : pouvez-vous établir des liens entre vos deux groupes de caractéristiques ?

Une autre question pour vous

Lesquels de vos forces et de vos obstacles vous semblent reliés ?

1._____ et _____
2._____ et _____
3._____ et _____

Les choses deviennent plus concrètes dans le reste de ce livre : l'objectif est de structurer la manière dont vous interagissez avec les autres afin que vous puissiez utiliser vos forces, tout en gardant un œil sur vos besoins. Nous allons commencer par examiner votre milieu personnel et votre contexte professionnel.

* * *

POINTS SAILLANTS EN BREF

- Tout comme ils ont des forces qui leur sont propres, les introvertis font face à des obstacles bien à eux. Il est important de connaître ces obstacles, afin qu'ils ne deviennent pas des points faibles ou qu'ils ne vous compliquent pas la vie.
- Par ailleurs, les obstacles auxquels se heurtent les gens réservés constituent de bons indicateurs de leurs besoins.
- Les 10 obstacles sont: la peur, le trop grand souci du détail, la trop grande stimulation, la passivité, la fuite, le fait d'être trop cérébral, l'auto-illusion, la fixation, l'évitement des contacts et l'évitement des conflits.

2e PARTIE

Comment être heureux dans sa vie personnelle et réussir sa vie professionnelle

CHAPITRE 4
Ma maison est mon château : façonner son espace de vie

Christine est analyste dans une société internationale. Âgée de 34 ans, elle a déjà beaucoup de réalisations à son actif : elle est chargée d'un vaste secteur de responsabilité, a une expertise très appréciée et, en raison de sa fiabilité, elle est considérée comme indispensable dans son service.

Christine se donne entièrement à son travail. L'ennui, c'est qu'à la fin de la journée, il n'y a que son chat qui l'attend à la maison. À l'occasion, elle rencontre quelques-unes de ses amies pour faire du vélo ou pour prendre un café.

Christine pense que ce serait bien d'avoir un compagnon, mais en tant que personne réservée, elle est réticente à se consacrer à la recherche d'un ami. Après une dure journée au travail, elle aime se détendre, et elle a rarement envie de sortir pour prendre part à des activités sociales. De temps à autre, elle jette un coup d'œil sur les sites de rencontre, mais cela la laisse sceptique : après tout, il y a plein de gens malhonnêtes sur Internet. Elle peut difficilement s'imaginer pouvoir se rendre attrayante auprès d'un éventuel partenaire, comme s'il s'agissait de se mettre en marché. Malgré tout, ces derniers temps, elle songe de plus en plus que ce serait bien d'avoir un conjoint avec qui passer sa vie et partager ses intérêts, quelqu'un pour qui elle serait importante.

LE CERCLE SOCIAL RAPPROCHÉ

Les introvertis parmi les membres de leur famille et leurs amis

Même si nous nous limitons au principal thème de ce livre (la communication), la vie personnelle est un très vaste champ à aborder. Il y a des tas de bons livres sur la vie de célibataire, la vie en couple et la vie de famille. Le présent chapitre portera sur les interactions avec la famille et les amis, du point de vue d'une personne introvertie. D'abord, il y a l'interaction avec le conjoint (le cas échéant). Ensuite, il y a une section consacrée aux célibataires, et une section qui traite en détail des différents besoins des enfants introvertis et extravertis, puis des stratégies appropriées en matière d'affection et de parentage. Nous vous conseillons de lire les passages qui sont pertinents dans votre vie, en ce moment.

Vivre à deux ou seul

Les gens qui vivent avec un conjoint et les gens qui vivent seuls (par choix ou non) ont des défis différents à relever. Les deux modes de vie présentent leurs avantages et leurs inconvénients ; et, bien entendu, c'est aussi le cas pour les personnes introverties. Vivre avec un compagnon est plus facile par certains côtés, et plus difficile, par d'autres aspects. C'est évidemment merveilleux de vivre avec quelqu'un pour qui on est important, qui nous comprend et qui nous fait entreprendre de nouvelles choses. Mais cela peut aussi être épuisant si les besoins de notre partenaire diffèrent des nôtres et que l'on a, par conséquent, moins de temps à soi. Les pages qui suivent aborderont les deux modes de vie, mais nous allons commencer par le stade intermédiaire de la *recherche* d'un compagnon ou d'une compagne, stade que Christine trouve si intimidant.

TROUVER UN PARTENAIRE

Ce qu'il faut investir dans cette recherche : de l'énergie !

Pour bien des gens introvertis, trouver un compagnon représente tout un défi, comme c'est le cas pour Christine. Après tout, il s'agit de faire les premiers pas, de sortir pour rencontrer des inconnus et d'apprendre à les connaître. Cela demande de l'énergie, et cela signifie aussi de surmonter sa propre résistance à cette idée. Cependant, si vous avez établi que vous préféreriez vivre avec un partenaire, il vaudra la peine de franchir cette étape pour en arriver à la vie que vous souhaitez. Si vous vous trouvez dans cette situation, je vais vous inviter, au cours des prochaines sections de ce livre, à faire quelque chose qui, de toute façon, ne vous nuira pas : réfléchir soigneusement aux options possibles, puis dresser un plan, votre propre plan personnel !

Un partenaire introverti ou extraverti ?

Si vous êtes en quête d'un partenaire, à la lumière de ce que vous venez de lire, vous devrez répondre à une question importante : en tant que personne réservée, quel genre de partenaire vous conviendrait le mieux : un introverti ou un extraverti ?

Vous pourriez répondre que le caractère d'une personne ne se limite pas au fait qu'elle est introvertie ou extravertie. C'est bien vrai. Et, en théorie, une relation avec une personne de l'une ou l'autre de ces catégories a autant de chances de réussite, mais de façon différente.

Les contraires s'attirent

En tant que partenaires, les extravertis présentent souvent un attrait pour les introvertis. Comme le disait Carl Gustav Jung, les contraires s'attirent, et cela s'applique aussi aux introvertis et aux extravertis. À l'instar de Platon, il croyait que nous choisissons des partenaires qui sont différents de nous, que nous « complétons » nos partenaires et que nous nous sentons « entiers » avec eux. Les personnes très masculines et très féminines, les très impulsives et les très réfléchies, les beautés et les génies, les gens de famille et les solitaires : si vous regardez autour de vous, vous trouverez des exemples de personnes très différentes qui forment des couples.

Les extravertis et les introvertis se complètent

On voit facilement pourquoi un extraverti peut attirer un introverti. Les extravertis trouvent facile de faire des choses qui peuvent paraître difficiles à des personnes réservées, comme prononcer un discours dans une fête de famille, planifier des activités sociales ou régler des plaintes et des différends dans des magasins. Les diagnosticiens qui utilisent le Myers-Briggs Type Indicator ont déjà recommandé que les couples diffèrent par le plus d'aspects possible de leur personnalité, y compris en ce qui concerne l'introversion et l'extraversion.

Les gens qui se ressemblent s'entendent bien

Les perceptions ont changé, depuis ce temps. D'après les nouvelles études, la similitude présente aussi ses attraits. Dans de nombreuses relations fonctionnelles, les deux partenaires se ressemblent au point de vue de l'intelligence, de leurs antécédents sociaux, ainsi que de leurs études et de leur carrière. De plus, la similitude d'habitudes, dans les relations avec les autres et dans les loisirs, peut rendre l'autre personne plus attrayante et plus accessible. On se sent plus à l'aise avec l'« âme sœur ».

Cela explique pourquoi une personne réservée, introvertie et intense peut présenter un attrait pour d'autres introvertis. Ce qu'il y a de bien, c'est que si vous êtes en *quête* d'un partenaire actuellement, vous pouvez y réfléchir calmement : comment réagissez-vous aux introvertis et aux extravertis ? Quelles caractéristiques trouvez-vous agréables chez une personne, et que trouvez-vous désagréable ou peu attrayant ? Qu'attendez-vous de vos relations ?

Mais il faut d'abord prendre conscience des faits : lorsque l'amour frappe, il frappe d'abord le côté droit du cerveau, celui qui se charge des émotions et de l'intuition. On peut planifier, analyser et réfléchir tant qu'on veut, cela fait partie du processus, mais au bout du compte, le partenaire choisi pourrait être entièrement différent de ce que l'on avait prévu. Et, après tout, n'est-ce pas une bonne chose ?

À la recherche d'un partenaire : misez sur vos forces !

Vous rappelez-vous l'aperçu des forces types des gens introvertis, au deuxième chapitre ? Les revoici : un aperçu de toutes les forces et de la manière de s'en servir dans la tâche difficile de se trouver un partenaire.

Force	Utilité dans la recherche d'un partenaire
1. La prudence	L'une des meilleures façons de rencontrer quelqu'un est de se le faire présenter par une connaissance commune, dont vous appréciez le jugement. Dans cette situation, vous saurez au moins qu'une personne en qui vous avez confiance croit que l'éventuel partenaire est quelqu'un de bien. Si vous commencez à fréquenter les sites de rencontre, il est bon de prendre quelques précautions. Voici les points les plus importants à retenir : · N'utilisez que des plateformes qui vous permettent d'ouvrir une session au moyen d'un nom d'utilisateur (et pas votre véritable prénom !) et d'une adresse de courriel valide. N'utilisez pas une adresse électronique de domaine. · Pour commencer, ne fournissez pas vos coordonnées (vos nom, adresse, numéro de téléphone, adresse de courriel, lieu de travail) à qui que ce soit. · Au début, recevez vos appels sur votre téléphone cellulaire, et non sur votre téléphone fixe. · Méfiez-vous si la personne vous demande de l'argent, parle de mariage trop rapidement ou mentionne quoi que ce soit ayant un lien avec la sexualité. Si cela se produit, mettez fin immédiatement à tout contact ! · Si vous décidez de rencontrer quelqu'un, assurez-vous que ce soit dans un lieu public, où vous serez en vue (dans un café, pendant la journée, par exemple). Dites à au moins une personne de votre connaissance l'heure et le lieu de rendez-vous. Les précautions à prendre sont les mêmes si vous rencontrez quelqu'un par l'intermédiaire des petites annonces ou d'une agence de rencontre. · Au cours de la conversation, ne révélez que graduellement des renseignements sur vous. Vous avez tout le temps devant vous.
2. La substance, le contenu	Pensez d'abord aux activités qui vous plaisent vraiment et qui valent la peine. Une fois que c'est établi, vous pouvez planifier des activités qui vous permettront de rencontrer des gens qui vous ressemblent.
3. La concentration	Trouvez-vous du temps, dans votre vie de tous les jours, pour la recherche d'un partenaire. Vous pourriez, par exemple, planifier et entreprendre des activités tirées de la liste que vous venez de dresser.

4. L'écoute	Écoutez attentivement : comment les hommes et les femmes se parlent-ils lorsqu'ils ne se connaissent pas beaucoup ? Comment cela s'applique-t-il à vous ? Demandez à des amis introvertis qui sont en couple la façon dont ils se sont rencontrés. Que pouvez-vous apprendre de leur histoire qui pourrait être utile ? Lorsque vous rencontrez quelqu'un, c'est aussi le bon moment pour être à l'écoute. De quoi l'autre personne aime-t-elle parler ? A-t-elle une bonne écoute ?
5. Le calme	Détendez-vous ! Élargir votre cercle de connaissances devrait avant tout être une question de faire des expériences nouvelles et intéressantes, même si vous avez un autre but en tête. C'est précisément là que le calme peut être utile. **Ne laissez personne vous entraîner à faire quelque chose que vous ne voulez pas faire !** N'entreprenez pas trop d'activités à la fois. Gardez-vous du temps pour récupérer.
6. La pensée analytique	Une fois que vous avez dressé la liste proposée à la 2e force, planifiez des activités qui conviennent. Cela pourrait être promener le chien, aller à la bibliothèque, faire du bénévolat, suivre des cours de danse, visiter une exposition ou vous adonner à un sport. De plus, ces activités vous tiendront occupé, vous serez donc beaucoup plus détendu dans votre recherche de partenaire. Quelles sont les activités que vous trouveriez appropriées pour un premier rendez-vous (qu'il s'agisse de sites ou d'agences de rencontre) ? Vous devriez aussi simplement recourir à votre pensée analytique pour évaluer les gens que vous rencontrez (cela devrait vous donner confiance en vous). Questionnez-vous sur les caractéristiques que vous percevez chez cette personne. Lesquelles vous plaisent ?
7. L'indépendance	Pour être un bon partenaire, vous devez aussi apprendre à être bien dans la solitude. Plus votre vie actuelle vous satisfait, plus il vous sera facile de connaître des gens. Une personne qui a l'air dans le besoin est rarement attrayante pour quelqu'un à la recherche de son égal ; et vous ne voudriez pas une relation qui serait autrement, n'est-ce pas ? Êtes-vous indépendant en ce sens ? Vous devriez viser ce but.

8. La persévé-rance	Se trouver un partenaire peut prendre du temps. Sachez-le, et prenez la décision consciente d'investir ce temps. Ne faites pas trop de compromis. La deuxième des listes comprises sous la 9ᵉ force ci-dessous devrait vous y aider.
9. Écrire (plutôt que parler)	Dressez deux listes : · une liste de vos propres qualités (pour augmenter votre confiance en vous) ; · une liste des qualités que vous recherchez chez un éventuel partenaire (pour faciliter votre recherche). En voici des exemples : l'humour, la fiabilité, l'honnêteté... Notez les qualités qui vous semblent indispensables. Songez aussi aux écarts qui vous paraîtraient acceptables par rapport à ces qualités. En plus des annonces de journaux traditionnelles, utilisez les plateformes en ligne dans votre recherche de partenaire. Internet laisse le temps de réfléchir et c'est un médium écrit.
10. L'empathie	C'est une qualité très utile lorsqu'on rencontre quelqu'un, que ce soit de façon virtuelle ou en personne. Elle vous aide à jauger l'autre personne, et même à communiquer avec elle. Vous sentez-vous tous les deux à l'aise ? Qu'est-ce qui est important pour l'autre personne ? Prenez très au sérieux toute impression négative que vous ressentez (que ce soit la contrariété, la peur, l'ennui ou l'impatience). Vous pouvez obtenir beaucoup de renseignements précieux en posant des questions anodines, sur les loisirs de l'autre personne, par exemple. Finalement : l'autre personne pose-t-elle aussi des questions ? Essaie-t-elle de vous comprendre, est-elle capable de voir plus loin que sa propre vie ? Pour un premier rendez-vous, vous trouverez peut-être utiles les conseils sur les menus propos du chapitre 6.

Le cas de Christine

Christine opte pour une stratégie traditionnelle. En raison de sa méfiance à l'égard des sites de rencontre, elle décide de publier une petite annonce dans un journal hebdomadaire respectable. Comme elle a déjà songé aux caractéristiques qui sont les plus importantes pour elle chez un partenaire, elle communique aussi avec une agence de rencontre. Puis, elle commence à participer à des ateliers sur quelque chose qui l'intéresse depuis longtemps : l'écriture d'un roman policier. Qui sait avec qui son nouveau loisir pourrait la mettre en contact !

VIVRE AVEC UN PARTENAIRE

Les relations qui posent un défi

La plupart des gens veulent être en couple. Malgré tout, les relations se soldent souvent par un échec. Dans les pays industriels occidentaux, le taux de divorce est de 50 %, et cela ne rend compte que des échecs des relations de gens mariés. Les statistiques révèlent qu'en Europe et dans une bonne partie du monde, le nombre de mariages est en baisse constante. Les conseils portant sur les relations abondent. Cependant, si on parle des gens extravertis et introvertis, de leurs façons différentes de communiquer et de leurs besoins particuliers, il est logique de commencer par aborder les deux combinaisons possibles. Comment fonctionne une relation entre une personne introvertie et une personne extravertie ? Et, à l'inverse, qu'ont à offrir, l'une à l'autre, deux personnes introverties ?

Une question pour vous

Si vous avez un(e) conjoint(e), est-il (elle) introverti(e) ou extraverti(e) ?
Dans le doute, servez-vous du test et de l'aperçu du chapitre 1.
Il ou elle _____
Caractéristiques et besoins particuliers : _____
_____

Relations entre introvertis et extravertis

Lorsque les partenaires se complètent

Dans cette situation, les deux partenaires vivent dans des mondes différents. Une fois passée la première phase amoureuse, intense, il devient rapidement évident que leurs deux mondes sont très distincts. Les deux partenaires ont des valeurs, des expériences, des talents et des traits de personnalité divergents, bref les caractéristiques qui font qu'une personne est extravertie ou introvertie. Les différences qui découlent de ces réalités distinctes sont intéressantes : les deux mondes s'additionnent pour constituer davantage qu'un seul monde. Souvent, l'un des partenaires sera en mesure de faire ce que l'autre trouve difficile de faire, ce qui facilite la vie de ce dernier. Par exemple, un partenaire extraverti trouve facile de planifier et d'entretenir la vie sociale du couple.

Ainsi, une femme extravertie pourrait persuader (ou presser) son conjoint introverti de prendre part à des réceptions, et une fois qu'ils y sont rendus, elle pourrait s'assurer qu'il ne reste pas seul, et l'inclure dans ses propres activités. Inversement, en tant que partenaire réservé du couple, il pourrait offrir à sa femme la valeur opposée, le calme, ce qui viendrait équilibrer sa personnalité et lui offrir de la stabilité, comme un rocher au milieu de la tempête.

Les différences peuvent être éprouvantes

Par ailleurs, les différences entre un introverti et un extraverti peuvent être épuisantes. Les divergences de tempérament, de besoins et d'idées peuvent souvent engendrer des conflits et entraîner un déséquilibre : dans les situations que nous venons de mentionner, la femme, en tant que partenaire extravertie, doit assumer la totalité du fardeau lié au temps et à l'énergie à consacrer aux activités sociales. Dans les réceptions, son conjoint est toujours à sa remorque, même si, en tant que personne extravertie, elle aurait plus de plaisir à s'entretenir avec différentes personnes sans avoir à penser à inclure son mari dans la conversation. Quant à lui, il trouve qu'en vivant avec sa femme extravertie, il lui est difficile de se calmer, de se détendre et de tout simplement ne rien faire, de temps à autre.

Les besoins conflictuels

Lorsqu'un introverti et un extraverti vivent ensemble, leurs différences inconciliables peuvent, au pire, devenir une menace pour la réussite de leur relation. Le partenaire introverti peut se sentir éclipsé, ignoré, incompris ou contraint. Le partenaire extraverti peut trouver son conjoint faible, peu attentionné, trop docile ou trop passif, ce qui peut avoir un effet négatif sur l'estime de soi du partenaire introverti. De plus, les extravertis peuvent désirer davantage de stimulation et une vie sociale plus active que leur partenaire. Ils peuvent aussi se sentir négligés au point de vue affectif parce qu'ils ne reçoivent pas la quantité d'affection active dont ils ont besoin.

Les partenaires introvertis, quant à eux, sont plus à l'aise dans une relation où ils n'ont pas constamment à démontrer de l'affection ou à prendre des initiatives.

Sur le plan de la communication, les partenaires introvertis et extravertis ont souvent une idée différente de la vitesse et du volume appropriés des échanges; et ils ont généralement des attitudes différentes face aux confrontations et aux conflits. Ce qui peut paraître exagéré, trop fort, trop difficile ou trop rapide pour un mari introverti peut, pour sa femme extravertie, sembler la façon normale d'interagir. À l'inverse, elle peut avoir de la difficulté à accepter la réaction de son mari réservé en cas de différence d'opinions: il se referme, au lieu de s'attaquer au problème. Il pourrait aussi survenir des problèmes relatifs à la confidentialité, car les gens extravertis sont plus enclins à communiquer des renseignements personnels que les introvertis.

Une base de respect mutuel

Malgré tout, les introvertis et les extravertis peuvent réussir à vivre ensemble et à avoir une relation très enrichissante. À condition qu'ils mettent en pratique ce que le psychologue Hartwig Hanssen (2008) décrivait comme la clé de la réussite de toute relation : le respect. Au cours d'une vie de couple, le respect consiste, par-dessus tout, à reconnaître deux choses : ses propres besoins et ceux de l'autre.

Les deux clés de la réussite d'une relation

1. Reconnaissez vos propres besoins !
Vous ne pourrez accepter les besoins de votre conjoint que si vous respectez les vôtres.
2. Reconnaissez les besoins de votre conjoint !
Reconnaissez que les besoins de votre conjoint diffèrent des vôtres et que vous avez des points de vue différents de la même situation. Ce fait est entièrement distinct des sentiments que vous éprouvez l'un pour l'autre.

Les avantages d'avoir des besoins différents

Il est tout à fait normal de vous rendre compte que vous avez des besoins différents. Après tout, nous sommes tous uniques. Ce qui importe, c'est la façon dont vous composez avec ces différences.

Vous et votre conjoint formez une équipe. Toute équipe profite des caractéristiques et des compétences différentes de ses membres. Vous devriez donc examiner les avantages des besoins différents dans une relation.

Par exemple, un conjoint extraverti :
- a beaucoup d'énergie et de nouvelles idées à vous offrir et à offrir à votre relation ;
- a la capacité d'entreprendre des activités et des rencontres sociales (qui vous concernent aussi), ce qui peut être très libérateur ;
- a des forces liées à la communication dont vous pouvez profiter lorsque vous vous heurtez à des obstacles : notamment la conversation flexible (voir le 8e obstacle, la fixation) ou la résolution constructive de conflits (voir le 10e obstacle, l'évitement des conflits).

Bien communiquer avec un conjoint extraverti

Dans l'intérêt des conjoints introvertis de gens extravertis (après tout, ce livre est pour vous!), voici une liste des stratégies de communication les plus importantes pour interagir avec un conjoint extraverti.

Stratégies destinées aux introvertis pour communiquer avec un conjoint extraverti

1. Dans la conversation

- Allez droit au but; exprimez-vous clairement et brièvement. Vos caractéristiques de substance (2e force) et votre capacité de pensée analytique (6e force) vous faciliteront les choses.
- Lorsque vous prenez la parole, assurez-vous de parler fort et clairement. Si vous parlez trop bas ou sur un ton monotone, votre conjoint n'entendra peut-être pas ce que vous avez à dire ou sous-estimera l'ampleur de votre préoccupation.
- Si cela vous dérange que votre conjoint parle trop rapidement, demandez-lui de ralentir son débit ou de répéter ce qu'il a dit.
- Vous avez la capacité de ralentir la conversation. Vous devriez aussi vous préparer à dire que vous avez besoin de temps pour réfléchir avant de prendre une décision importante qui aura des répercussions sur votre avenir en couple, par exemple.
- Montrez que vous comprenez les préoccupations de votre conjoint. L'écoute active (4e force), la pensée analytique (6e force) et l'empathie (10e force) vous y aideront.
- Avant toute discussion importante, notez par écrit les principaux éléments que vous voulez aborder ou réaliser (9e force).
- Apprenez à reconnaître les messages transmis par l'autre personne (l'irritation, l'ennui, la frustration, les craintes, etc.). Il est bon d'apprendre à connaître le « langage » de l'autre personne, surtout lorsque les deux conjoints ont des façons différentes de s'exprimer.
- Vous devez également exprimer vos propres sentiments, qu'ils soient agréables ou non. Cela englobe le fait de démontrer régulièrement de l'affection !

- Communiquez vos besoins et renseignez-vous sur ceux de votre conjoint. Dans les discussions, vous devriez traiter les besoins des deux membres du couple sur un pied d'égalité. Montrez que vous comprenez que votre conjoint trouve certaines choses difficiles (et que vous-même trouvez certaines choses difficiles). Idéalement, vous devriez tous les deux être capables d'en rire.

2. Dans la cohabitation

- Ayez conscience de vos besoins et organisez vos vies en conséquence. Vous devez aussi laisser suffisamment d'espace à votre conjoint pour qu'il puisse satisfaire ses propres besoins.
- Planifiez des choses à faire ensemble (les vacances, les événements spéciaux, les réunions de famille, etc.) afin qu'elles vous conviennent à tous deux, le plus possible.
- Assurez-vous d'avoir assez d'occasions de vous retirer et de communiquer votre besoin de solitude, de temps à autre. Il est important d'en expliquer clairement la raison : « Je ne te fuis pas ; j'ai besoin de temps pour moi. » Cherchez à obtenir la compréhension de votre conjoint.
- Respectez l'introversion et l'extraversion en tant que caractéristiques personnelles. Après tout, vous savez que ces deux types de personnalité comportent leurs forces et leurs faiblesses.
- Montrez que vous appréciez les choses que votre conjoint fait mieux et plus facilement que vous. Remerciez-le des choses qu'il fait pour vous : créer un contact, déposer une plainte ou braver la foule pour profiter des soldes, par exemple.

Se donner assez d'espace l'un l'autre

Dans ma propre relation introvertie-extraverti, j'ai découvert en quoi mon mari extraverti diffère de moi, ainsi que les besoins qu'il a. Il était tout aussi important que je découvre mes propres besoins et que ce soit tout à fait acceptable que ces besoins soient différents. Au cours de nos années de mariage, nous avons appris à nous donner de l'espace l'un l'autre : mon mari a besoin de plus d'activités sociales avec des amis et des associations, de plus de projets et de temps passé en mouvement et à voyager. Et il aime aussi allumer la radio et la télévision dès qu'il entre dans une pièce. Moi, j'ai besoin de plus de calme, de tranquillité, de solitude et surtout de silence.

Nous avons graduellement découvert des façons de vivre ensemble, même si nos zones de confort et nos positions diffèrent sur le continuum introversion-extraversion. Nous passons de bons moments ensemble : nous avons assez d'humour pour être capables de rire de nous-mêmes et de l'autre.

Et, bien sûr, il existe toujours les casques d'écoute et les bouchons d'oreilles ! Enfin, le dernier point, mais non le moindre, il existe un chevauchement de certaines choses que nous aimons faire tous les deux et qui nous rendent heureux tous les deux : un agréable repas avec des amis ou une bonne conversation.

Le plus important à retenir est que, si ce sont des choses différentes qui allument votre conjoint, alors vous ne pouvez pas tenir pour acquis qu'il reconnaîtra vos besoins différents des siens. Il n'est pas une personne réservée, après tout. De même, il peut vous être difficile de reconnaître les besoins de votre conjoint, qui est un extraverti. Il est d'autant plus important que vous sachiez vous-même ce dont vous avez besoin et que vous le communiquiez.

Les relations entre introvertis

Réduire le potentiel de conflit

Si vous vivez une relation avec une personne introvertie, il est très probable qu'elle vous donne satisfaction. Après tout, votre compagnon comprend vos besoins, et les partage même peut-être. Quel début de relation idéal !

Dans quels domaines vos besoins et ceux de votre conjoint diffèrent-ils?

Conjoint: _____

_____

_____

Moi: _____

_____

_____

Comment pouvez-vous traiter ces différences pour qu'elles enrichissent votre relation?

_____

_____

Si vous vivez avec une personne introvertie, elle:
- a une bonne écoute, de la patience et est très consciente de vos besoins;
- est discrète, et comprend que vous avez besoin de calme et de solitude;
- partage un bon nombre de vos intérêts;
- présente un faible potentiel de conflits.

Le danger de la stagnation

Mais cette combinaison comporte aussi ses obstacles. Le plus grand d'entre eux est peut-être la stagnation: une inertie partagée. Ce risque est particulièrement élevé si les deux conjoints ont tendance à être passifs (4e obstacle) ou à éviter les contacts (9e obstacle). Cela peut mener à un manque d'amis et d'expériences agréables partagées, et à un manque de développement personnel et de souplesse dans la résolution de problèmes, de conflits et de crises. Se comprendre l'un l'autre peut tourner à la fixation et à l'interdépendance.

Comme vous l'avez sans doute deviné, ce n'est pas sain. L'aperçu ci-dessous montre comment vous pouvez diriger votre communication et votre vie de façon à profiter des avantages de ce genre de partenariat et à en éviter les inconvénients.

Stratégies pour les gens introvertis qui communiquent avec un conjoint introverti

1. Dans la conversation
- Parlez des choses qui vous rendent différents. Quelle importance ont-elles dans votre relation?
- Communiquez vos besoins et comparez-les à ceux de l'autre personne. Dans la discussion, traitez vos deux éventails de besoins sur un pied d'égalité.
- Faites savoir à l'avance à l'autre personne si vous voulez parler de quelque chose d'important. Cela lui donnera le temps de s'y préparer.
- Vous pourriez aussi communiquer par écrit, si vous aimez tous deux ce mode d'expression (9e force). Les courriels, les textos ou les billets sur des bouts de papier, divers moyens sont à votre disposition!

2. Dans la cohabitation
Créez des rituels qui incorporeront de la variété dans vos vies. Voici quelques suggestions:
- essayez un nouveau passe-temps tous les ans;
- sortez ensemble une fois tous les quinze jours;
- une fois par mois, faites la connaissance d'une personne intéressante;
- tous les deux mois, planifiez quelque chose d'étonnant pour vous et votre conjoint (faites-le à tour de rôle);
- inscrivez vos rituels sur le calendrier;
- exercez-vous à tenir des discussions difficiles et à de futures conférences (chapitre 7) ou à des présentations (chapitre 8) ensemble. Cela vous permettra de vous entraîner tous les deux;
- assumez votre part de responsabilité dans le fait d'avoir une vie équilibrée ensemble.

Si vous vivez avec une personne introvertie, le moment est venu d'examiner votre relation.

Qu'avez-vous en commun avec votre conjoint introverti ?

_____

_____

_____

_____

Quels obstacles ou défis voyez-vous dans votre vie de couple et que pouvez-vous faire pour en éviter les conséquences négatives ?

Obstacles	Comment composer avec les obstacles

LA VIE DE CÉLIBATAIRE INTROVERTI

Être seul sans se sentir esseulé

Vivre seul comporte ses avantages et ses inconvénients. Ce peut être un choix de vie ou le résultat de la perte d'un conjoint. De nombreux introvertis trouvent qu'ils peuvent vivre seuls sans se sentir esseulés. Ils s'adonnent à différentes activités qu'ils peuvent exercer sans être accompagnés, et trouvent même reposant d'avoir des loisirs seuls, après une longue journée de travail.

Les risques pour les célibataires

Les risques s'apparentent à ceux qui vous ont été présentés dans la section sur les partenariats introverti-introverti, à la différence que c'est vous seul qui trouvez difficile d'entreprendre des activités ou de rencontrer des gens (et non vous et votre partenaire). D'autant plus si vous, en tant que célibataire, avez tendance à la passivité (4e obstacle) ou à l'évitement des contacts (9e obstacle). Tout comme dans un couple introverti-introverti, cela mène à un manque de contacts sociaux et d'expériences qui élargissent les perspectives et apportent de nouvelles impressions.

Cela peut rapidement conduire à la stagnation personnelle et à la perte de capacité à régler des problèmes, des conflits et des crises.

Voici des trucs qui vous aideront à profiter de la vie en tant que célibataire et à éviter les risques ci-dessus.

Trucs pour vivre heureux en tant que célibataire

- Créez des rituels personnels pour enrichir votre vie. Inscrivez-les à votre calendrier en tant que tâches à accomplir ou rendez-vous. Voici quelques suggestions :
  - essayez un nouveau loisir, une fois par année ;
  - deux fois par année, faites la découverte d'un nouvel endroit ;
  - tous les quinze jours, visitez une exposition, allez au cinéma, au théâtre ou à un spectacle de danse ;
  - une fois par mois, prenez part à une célébration ou à une activité sociale ;
  - tous les deux mois, planifiez une activité avec un(e) ami(e), et prenez-en la responsabilité à tour de rôle.
- Assurez-vous de rencontrer régulièrement des gens intéressants et qui vous inspirent. Communiquer par téléphone ou par courriel, c'est bien, mais vous devriez aussi faire l'effort de rencontrer des amis, des membres de votre famille ou des collègues à l'extérieur de votre milieu professionnel.
- Adonnez-vous à une activité qui vous passionne.
- Engagez-vous dans votre collectivité : entretenez vos amitiés et vos réseaux. Si vous le pouvez, aidez les autres en leur rendant de petits

---

services (arroser les plantes, écouter, installer un logiciel, garder les enfants, etc.). Il est tout aussi important de demander de l'aide aux autres quand vous en avez besoin.

• Si une cause vous tient particulièrement à cœur, songez à faire du bénévolat, en dehors de vos heures de travail. Cela vous permettrait de rencontrer des gens animés des mêmes idées que vous, ce qui est toujours intéressant, et pas uniquement si vous êtes à la recherche d'un conjoint.

Prenez la situation en main et profitez de votre vie en tant que célibataire; faites des choses qui enrichissent votre vie et celle des autres. Le fait d'être une personne réservée vous place dans une bonne position pour cela.

PRENDRE SOIN DES ENFANTS

Si vous vivez avec un conjoint ou une conjointe, alors vous faites partie d'une famille: au lieu de vivre seul, vous vivez en association avec quelqu'un qui est important pour vous. Des enfants et d'autres personnes peuvent faire partie de cette famille, à long terme (un père âgé, une belle-mère veuve), ou de façon temporaire (étudiants participant à un programme d'échanges, amis, jeunes au pair).

Pour une personne réservée, le plus grand obstacle que présente le tourbillon de la vie de famille est le 3e : la trop grande stimulation! La quantité et les habitudes de sommeil différentes des jeunes enfants (et la vie sociale des enfants plus âgés) peuvent être extrêmement éprouvantes et épuisantes. Les possibilités d'avoir du temps à soi sont souvent limitées.

Stratégies pour les introvertis qui composent avec une vie de famille

Les suggestions figurant dans la liste qui suit visent à vous aider, en tant que personne réservée, à avoir une vie de famille heureuse.

1. La coexistence sur un pied d'égalité. Dans la plupart des familles, les extravertis vivent avec des introvertis. Vous devriez faire un effort afin que votre vie de famille soit juste pour tous, quelle que soit la zone de confort de chacun dans le continuum introverti-extraverti. Vous devriez vous assurer que les besoins des introvertis et des extravertis sont pris en compte également. Il est tout aussi raisonnable de vouloir faire une sieste à midi que de vouloir aller visiter une exposition avec des amis.

2. Un endroit où se retirer. Trouvez-vous un endroit où vous êtes à l'aise et où vous pouvez vous réfugier seul, du moins pour un petit moment. Ce peut être votre chambre, une pièce du sous-sol, le grenier ou une pièce qui vous est propre. Le salon est habituellement une salle commune. Cependant, il peut parfois être utilisé pour se détendre lorsque les plus bruyants sont au lit ou sont sortis.

3. Le niveau de bruit. Si vous êtes sensible au bruit, prenez des mesures pour en réduire le niveau, qui est fréquemment trop élevé. Vous pouvez en avoir la certitude : il y aura toujours beaucoup de bruit ! Voici ce que vous pouvez faire :

- *Insistez pour que tous parlent sur un ton de voix normal.* Établissez une règle pour qu'il en soit ainsi à table. Vous pourriez aussi faire un rappel auprès des personnes qui ont tendance à s'exprimer à voix forte dans certaines situations.
- *Incitez les gens à faire un temps d'arrêt, seuls !* S'il se produit une dispute ou que quelqu'un pique une crise (situations dans lesquelles le ton monte habituellement), vous pouvez éliminer le stress en disant aux protagonistes d'aller dans des pièces différentes. Après tout, il est impossible de discuter lorsque les gens sont en colère. Mais le sujet devrait être abordé plus tard, une fois la poussière retombée.

- *Ayez recours à la technologie !* Dans ma famille, nous avons des écouteurs pour la télé, de sorte que ma mère, qui est introvertie et sensible au bruit, peut s'asseoir près de son mari et de son fils et lire son livre pendant qu'ils regardent *The Simpsons*.

4. Les gardiens d'enfants. Pour les parents introvertis, les gardiens d'enfants sont essentiels à la survie, que ce soient les grands-parents, des voisins adolescents ou une gentille nièce. Il vaut la peine de prendre des dispositions pour avoir un gardien d'enfants, car cela allège le fardeau du parentage. Il pourrait aussi être bon d'avoir un gardien d'enfants non parce que vous voulez aller au cinéma ou faire une activité avec votre conjoint, mais tout simplement parce que vous voulez avoir un peu de tranquillité. Il pourrait, par exemple, emmener les enfants au cinéma, au musée ou au parc, pendant une ou deux heures. En prime, vous aurez le temps de vous ennuyer de vos enfants, et vous serez manifestement plus détendu vous-même. Si votre budget est limité, vous pourriez prendre des dispositions avec d'autres parents pour faire un échange de gardiennage : un autre genre de réseautage réussi.

5. Matière à réflexion. C'est quelque chose dont vous aurez besoin, en tant qu'introverti, afin que votre vie intérieure ne soit pas submergée par le stress de la vie quotidienne, particulièrement aux étapes trépidantes de la vie de famille. Au travail, tenez-vous au courant des événements. Assurez-vous d'avoir un tas de bons livres, de films divertissants, de blogues intéressants à lire, et de conversations réelles sur des sujets autres que les oreillons et le choix d'une école. Vous devriez aussi vous forcer à rencontrer des gens qui n'ont pas d'enfants.

6. Le sport. Le sport est bon pour tous, peu importe avec qui nous vivons. Trouvez un sport qui vous convient et que vous pouvez pratiquer seul. Cela présente deux avantages : vous vous tenez en forme et vous rechargez vos batteries ! La plupart des sports suivants peuvent aussi être pratiqués avec des amis et des membres de la famille, si on le désire : le conditionnement physique dans un centre, la gymnastique, le patin à roues alignées, le jogging, le Pilates, le cyclisme, la natation, la voile, le surf, le tai-chi, le plongeon, la marche, la randonnée pédestre, le yoga.

Un enfant introverti ou extraverti?

Tout comme les adultes, les enfants ont leur personnalité, bien que celle-ci change à mesure qu'ils grandissent. Même les bébés réagissent différemment à leur environnement et aux gens, selon qu'ils sont introvertis ou extravertis. Les enfants auront donc aussi une zone de confort vaguement définie sur le continuum d'introversion-extraversion, abordé au chapitre 1. Si vous avez des enfants ou que vous vivez avec des enfants, vous serez davantage en mesure de leur apporter votre soutien et de favoriser leur développement si vous connaissez les besoins des introvertis et des extravertis. Pour les jeunes introvertis en particulier, il est très important de comprendre leurs propres forces et leurs préférences, dans un monde où les extravertis, à l'école et à la garderie, sont considérés comme « cools ». Cependant, il est bon aussi pour les enfants extravertis d'apprendre à un jeune âge les avantages et les difficultés avec lesquels ils devront vivre.

Évaluer son enfant

Vous n'avez besoin, ici, que d'une idée approximative de la personnalité de votre enfant, et pour cela, vous pouvez utiliser l'aperçu du chapitre 1. Chez les enfants comme chez les adultes, l'introversion ou l'extraversion extrême est rare ; leur zone de confort se situe probablement entre les deux, avec un mélange de caractéristiques et de tendances vers l'un ou l'autre des types de personnalité. Une fois que vous avez découvert si vous avez un jeune introverti ou un jeune extraverti entre les mains, consultez la section appropriée ci-dessous.

Éduquer un enfant introverti

L'expérience personnelle d'un enfant introverti

J'ai beaucoup d'expérience avec les enfants introvertis : après tout, j'en ai un moi-même ! Monsieur Fils (c'est comme ça que je l'appelle sur Twitter et dans mon blogue, alors je continuerai ainsi) est de toute évidence une personne réservée. Depuis sa tendre enfance, il était manifestement différent des enfants extravertis. Il n'a jamais aimé les vastes groupes ou les foules, et même en bas âge, il était difficile de le convaincre de prendre part à une fête d'enfants. Par contre, même à l'époque où il fréquentait la garderie, il m'impressionnait par la richesse de sa vie intérieure; son intuition dépassait celle de bien des adultes.

Lorsqu'il a eu six ans, mon fils m'a dit poliment qu'il ne voulait pas aller aux défilés du carnaval ou de la Saint-Martin : la musique était mauvaise, trop forte, et il y avait trop de monde. Lorsqu'il a eu 8 ans, il a lu qu'un végétarien sauve la vie de 100 animaux par année, et il a cessé de manger de la viande à long terme. Après l'école, il passait une bonne heure à se remettre du tohu-bohu de la classe, en compagnie de ses amis Bach, Beethoven, Chopin et Rachmaninov, au piano. Il n'a que quelques amis, mais ce sont d'excellents amis. Et, oui, je suis extrêmement fière de lui.

Trucs pour composer avec un enfant introverti

L'aperçu qui suit est le fruit d'années de recherche, de nombreuses discussions et délibérations, et bien sûr, de beaucoup d'amour. S'il y a une partie de ce livre qui a particulièrement fait l'objet de mises à l'essai, c'est bien celle-ci !

Comment apporter son soutien à un enfant introverti

1. Assurez-vous que votre enfant dispose de l'espace dont il a besoin.
L'enfant réservé a souvent besoin d'un lieu où être seul et récupérer, même en très bas âge. Ce devrait être, de préférence, sa propre chambre, ou si c'est impossible en raison de la disposition des pièces de votre maison ou parce que votre enfant a des frères et sœurs, il devrait au moins avoir un endroit où il ne sera pas dérangé pendant une période suffisante, chaque jour.

Si votre enfant part en voyage (sortie de classe, vacances ou événement spécial), vous pourriez discuter avec lui de la façon dont il pourrait se retirer, de temps à autre, s'il en a besoin. Laissez à votre enfant le temps d'observer avant de prendre part à une activité de groupe.

« De l'espace », c'est aussi de l'espace à l'écart des autres. Respectez les « moments de solitude » de votre enfant, et frappez toujours à la porte de sa chambre avant d'entrer. Découvrez le degré de proximité physique (câlins, ou le fait de s'asseoir près les uns des autres dans la voiture) et de respect dont il a besoin.

2. Créez des rituels pour rendre les « temps d'arrêt » plus faciles. Plus vous incorporez de temps d'arrêt réguliers dans le calendrier, plus ils deviendront normaux, et plus il sera facile pour votre enfant d'en tirer parti. Les rituels (ces choses que nous faisons toujours de la même façon, pour la même raison) peuvent apporter une aide précieuse à cet égard. En voici quelques exemples :

- *Les rituels en vacances* : prévoyez une période de repos après une période d'activité ; après une visite au marché, prévoyez de faire de la lecture, et après de la natation en piscine, prenez du thé et des biscuits.
- *Les rituels pour les événements à l'extérieur de la maison* : conduisez-y vos enfants à l'avance (et non à la dernière minute !) et jouez à un jeu ensemble. Pouvez-vous trouver un endroit où une personne pourrait s'éloigner du brouhaha et se détendre pendant un moment ? S'il le faut, demandez l'aide de votre hôte.
- *Les rituels pour la vie de tous les jours* : lorsque votre enfant rentre de l'école ou de la garderie, installez-vous confortablement à la table ensemble pendant qu'il sirote sa boisson préférée et déguste un aliment savoureux. Pas de pluie de questions ! (Et je dis cela en tant que personne qui est connue pour poser des questions !)

3. Aidez vos enfants à découvrir leurs propres besoins. Trouvez ce qui fait que vos enfants se « sentent bien » dans certaines situations, particulièrement lorsque les idées les plus courantes sont davantage axées sur le côté extraverti. Par exemple, il n'est pas nécessaire qu'une fête d'anniversaire soit une réception à tout casser, à laquelle prennent part un tas d'enfants. Ce pourrait être une journée au lac, avec le meilleur ami de votre enfant, un pique-nique et un gâteau.

Si votre enfant est manifestement stressé dans une situation difficile ou qu'il pique une crise (ce qui arrive aussi aux enfants introvertis !), essayez de rester le plus calme possible (prenez une grande respiration et, s'il le faut, éloignez-vous). Une fois que votre enfant s'est calmé, passez les événements en revue. Qu'est-il arrivé ? Que pourriez-vous faire pour que cela se passe mieux, la prochaine fois ? Il est utile d'avoir une bonne écoute («Alors, tu pensais que Marc ne voulait pas jouer avec toi, donc tu as...») et posez des questions ouvertes qui nécessitent une explication plutôt qu'une décision : «Qu'est-ce que tu pourrais faire pour que tous les enfants veuillent participer au jeu ?» En général, les enfants introvertis parviennent bien à cerner leurs propres besoins et ceux des autres.

En ce qui vous concerne, prenez garde de ne pas porter de jugement relativement aux besoins de votre enfant. Cela peut être difficile si vous êtes une personne réservée vous-même et que vous trouvez la situation éprouvante. Dans votre propre façon de vivre, vous devriez essayer de montrer à votre enfant ce qu'il faut faire pour découvrir ses besoins, en se posant des questions comme : «Que puis-je faire ?», «De quoi ai-je besoin maintenant ?» Si un enfant réservé reste en retrait dans les discussions de famille, demandez-lui son opinion.

Si vos autres enfants sont plus extravertis, assurez-vous de partager également votre affection, votre temps et vos décisions. Plus tôt vos enfants apprennent que différents modes de communication et différents modes de vie peuvent autant réussir les uns que les autres, mieux cela vaudra !

Vous devriez aussi apprendre à votre enfant qu'il peut établir des contacts à sa manière. Le mieux serait de lui fournir un exemple : si vos propres interactions se font facilement et de façon détendue avec les membres de votre famille, les amis et les connaissances (et, au besoin, vous vous retirez pour avoir un peu de solitude d'une façon détendue), votre enfant réservé, qui aura observé votre comportement, assimilera celui-ci. Au besoin, aidez-le à trouver des compagnons de jeu avec lesquels il s'entendra.

4. Soulignez les talents particuliers de votre enfant. Ce conseil va au-delà de ce qui a déjà été dit au point 3. «Souligner», ici, signifie faire l'effort conscient d'exprimer en mots les points forts de votre enfant. Examinez les forces typiques des gens réservés. De quelles forces pouvez-vous voir les traces, ou la pleine ampleur, chez votre enfant ? Pour avoir une incidence à long terme, une reconnaissance de ce genre devrait être ciblée. Au lieu de lancer : «Tu es tellement craintif ! » il vaudrait mieux dire : «Je pense que tu as bien fait de vérifier la profondeur de l'eau avant de t'y aventurer ! »

En faisant cela, vous pouvez aussi aider votre enfant à acquérir une plus grande conscience de soi et à surmonter ses doutes. Les enfants introvertis sont plus susceptibles de douter d'eux-mêmes que les enfants extravertis, et il ne leur faut pas beaucoup de temps pour porter un dur jugement sur eux-mêmes : «Je suis un perdant. » Vous devriez donc essayer, dans la mesure du possible, d'éviter de transmettre votre stress à un enfant introverti, par exemple en étant impatient ou en exerçant des pressions sur lui, car il pensera probablement que c'est de sa faute. Si vous acceptez et soutenez la façon particulière que votre enfant a de faire les choses, cela l'aidera à long terme : cela lui évitera d'être assailli par cette voix intérieure critique.

5. Soutenez votre enfant dans sa vie scolaire. Les enfants réservés ont tendance à passer inaperçus dans une classe. Cela signifie qu'ils causent moins de difficultés aux enseignants, mais aussi que les enseignants leur accordent moins d'attention qu'aux enfants qui ont plus de facilité à se faire entendre. Cela peut poser problème, par exemple dans l'attribution de notes pour les exposés oraux, qu'il est plus difficile d'évaluer objectivement que les travaux écrits. On peut facilement considérer un enfant réservé comme passif et trouver qu'il ne contribue pas autant que les autres aux travaux d'équipe.

Vous pouvez éviter ces problèmes en entretenant le dialogue avec les enseignants.

Le cerveau des enfants introvertis peut prendre plus de temps à traiter l'information, car il possède un «câblage neuronal» particulier (voir le chapitre 1). Par ailleurs, ces enfants ont souvent une réflexion plus approfondie que les extravertis et ils ont tendance à se concentrer plus longtemps. Vous n'avez qu'à faire savoir aux gens ce que votre enfant accomplit à l'extérieur de l'école : dans les sports, la musique, la lecture, au point de vue social, etc.

Dernier point, mais non le moindre, vous devriez fournir à votre enfant de nombreuses occasions d'apprendre le genre de communication requis à l'école, dans le contexte sécurisant de la maison. Cela pourrait se faire par des discussions pendant les repas, ou lorsqu'il vous demande d'avoir plus d'argent de poche, ou dans le cadre d'un projet en petit groupe sur les animaux en voie de disparition...

Les introvertis se développent-ils plus tard ?

Enfin, un mot pour vous rassurer : dans les études sur les gens réservés, de nombreux psychologues mentionnent que ceux-ci ont un «épanouissement tardif». La plus grande partie de la vie scolaire, avec tout ce qui se passe en classe et les pressions exercées par le groupe, est tellement éprouvante pour les enfants réservés qu'ils n'exploitent pas toujours leur plein potentiel. La bonne nouvelle est qu'une fois que ces jeunes comprennent leurs propres besoins et leurs penchants (sur les plans de l'adaptation, des sujets d'étude, du domaine de travail et de la vie sociale), dans bien des cas, cela les stimule, et ils trouvent le bonheur et la réussite dans les activités qu'ils ont choisies.

Éduquer un enfant extraverti

Si vous êtes vous-même une personne réservée, le fait d'avoir un enfant extraverti peut poser un défi. Comme ce livre est destiné avant tout aux personnes réservées, l'aperçu qui suit place l'accent sur les points qui pourraient causer des frictions.

Comment éduquer un enfant extraverti

1. Assurez-vous que votre enfant a des personnes à qui parler. Les enfants extravertis s'épanouissent lorsqu'ils peuvent communiquer leurs idées et leurs impressions aux autres : c'est de là qu'ils tirent leur énergie ! Une amie introvertie me parlait de son fils, dernièrement : « Je l'adore, mais quand je suis avec lui, j'ai l'impression d'avoir la radio allumée en permanence. Il dit tout ce qui lui passe par la tête. Parfois, cela me rend folle ! » Si vous êtes vous-même une personne introvertie, ce premier point vise à vous enlever de la pression. En tant que mère ou père, vous devriez, bien sûr, être là pour votre enfant, mais il vaut mieux, pour vous deux, que vous ne soyez pas la seule personne !

Les extravertis trouvent plus facile d'élaborer leur pensée s'ils peuvent l'exprimer. Vous vous aiderez donc vous-même et vous aiderez votre enfant si vous l'encouragez à établir des contacts et à nouer des amitiés avec un certain nombre de personnes : permettez à votre enfant d'inviter des amis à la maison, laissez-le veiller avec des amis et des parents, et emmenez-le à des événements spéciaux qui conviennent aux enfants.

Ne vous étonnez pas si même un enfant extraverti traverse des phases de repli. C'est une étape normale du développement, et cela ne signifie pas que votre enfant extraverti se transforme en introverti.

2. Incitez votre enfant à évaluer les expériences et les impressions. Comme le cerveau des extravertis emprunte des « raccourcis » (voir le chapitre 2), les gens extravertis ont tendance à réagir promptement et impulsivement. D'une part, ils peuvent passer rapidement d'une activité à une autre, et d'autre part, ils se laissent plus facilement distraire. Faites appel à vos propres forces pour aider votre enfant à se retirer de temps à autre et à réfléchir : qu'est-ce qui se passe, exactement ? Qui veut quoi ? Quelles sont les possibilités qui permettraient de résoudre le problème ? Comment pourrait-on améliorer la situation ?

Vous devriez aussi procéder de cette façon si un enfant extraverti a fait quelque chose qui vous énerve. D'après vous, qu'est-ce qui n'a pas fonctionné ? (Votre enfant ne cessait pas de donner des ordres à un ami qu'il avait invité à la maison pour jouer.) Que devrait faire votre enfant ? (Présenter ses excuses et prévoir un jeu, pour la prochaine fois, qui sera équitable pour les deux.)

Votre enfant apprendra graduellement à tirer davantage de renseignements de ses propres actes, il modifiera son comportement et explorera sa liberté de prendre des décisions. Ce sont là des étapes importantes sur la route de la maturité.

3. Laissez de la latitude pour les différences. Si vous êtes une personne réservée et que vous vivez avec un enfant extraverti, cela pourrait exercer des pressions sur vous, ou même vous frustrer, en ce qui concerne les activités préférées, l'intimité, le besoin de parler ou l'organisation de la journée, car vos besoins sont probablement très différents. Il est d'autant plus important que vous et votre enfant appreniez à vivre avec vos différences !

La bonne communication en est un élément essentiel. Expliquez à votre enfant que vous (et les autres membres de la famille introvertis) avez besoin de tranquillité, de temps à autre, et que cela vous fait plaisir d'avoir ses amis à la maison, pourvu qu'ils ne soient pas trop nombreux et qu'ils ne viennent pas trop souvent. À l'inverse, vous devriez reconnaître les besoins de votre enfant, et son tempérament bien à lui. Voici quelques exemples de situations tirées de la vie de tous les jours :

- *Plan de visites :* déterminez les « jours de visite » et les « jours de tranquillité ». Si votre enfant a beaucoup d'amis, prenez des dispositions avec les autres parents pour alterner les visites et les invitations à dormir à la maison, ou même pour faire appel à une gardienne d'enfants, de façon que vous puissiez vous détendre un peu ou faire un saut à la bibliothèque.
- *Stimulation :* un enfant extraverti aime avoir beaucoup de choses à faire, et l'attention et les louanges le rendent heureux. Vous devriez simplement présenter un tas de défis à votre enfant : des projets ou des tâches qui correspondent à ses intérêts. Ce pourrait être un spectacle de marionnettes, le cirque, une série d'entretiens, une exposition d'œuvres d'art, etc.

- *Espace* : prévoyez des moments tranquilles pendant lesquels votre enfant fera quelque chose dans le calme et où vous pourrez vous garder du temps pour vous. Si votre enfant veut une grande fête d'anniversaire avec beaucoup de monde, alors cela ne doit pas nécessairement avoir lieu chez vous ! Vous devriez également établir les paramètres concernant votre participation aux activités ; par exemple, on ne doit pas s'attendre à ce que vous soyez disponible toute la soirée pour répondre aux questions concernant un projet scolaire. Prévoyez plutôt une consultation d'une heure. Si votre enfant extraverti aime avoir le son de la télé comme bruit de fond, éteignez tout de même l'appareil pendant qu'il fait ses devoirs.

4. Reconnaissez les talents particuliers de votre enfant. Ce conseil est le même pour les enfants introvertis et extravertis. « Reconnaître », dans ce cas, signifie faire l'effort conscient d'exprimer en mots les forces de votre enfant. Quels sont ses points forts ? Donnez-leur de la visibilité ! La reconnaissance ciblée est particulièrement importante pour un enfant extraverti. Ne dites pas : « Tu as tellement de talent pour t'exprimer devant les gens ! » Dites plutôt : « Je t'ai entendu expliquer le règlement du jeu à tes amis. Tout le monde a pu jouer immédiatement parce que tes explications étaient claires et que tu as donné de bons exemples ! »

Gardez à l'esprit que les enfants extravertis ont besoin de la reconnaissance des autres. Pour un enfant extraverti, il est particulièrement bon de placer l'accent sur les points positifs : l'excellence des devoirs qu'il a faits, la beauté du cadeau de fête des Mères qu'il vous a offert, le bien que son appel téléphonique a fait à un ami, etc.

5. Favorisez la prolongation de la durée d'attention. En ce qui concerne l'école, les enfants extravertis éprouvent généralement peu de problèmes avec les travaux oraux ou en groupe. Ce qu'ils trouvent difficile, c'est de se concentrer, seuls, sur un sujet pendant une longue période, au cours d'une séance de travail ou d'un projet scolaire, mais aussi pendant leurs devoirs.

Il est possible d'apprendre aux enfants à mieux se concentrer. Montrez à votre enfant à diviser une grande tâche en petites étapes. Louangez-le lorsqu'il a réalisé une longue tâche. Permettez à votre enfant de changer d'activité, mais seulement après qu'il a consacré un certain temps à la première activité, que vous devriez tenter de prolonger, avec le temps. Ou bien, faites-en un genre de compétition sportive : combien de problèmes de mathématiques votre enfant peut-il résoudre en 20 minutes ? Ce genre de défi amical constitue une manière particulièrement efficace de motiver les enfants extravertis.

Vivre avec les forces et les obstacles

Plus tôt votre enfant apprendra à reconnaître ses forces et les obstacles qu'il a à surmonter, plus il se sentira accepté et aimé tel qu'il est, et mieux cela vaudra pour sa vie future. Grandir dans une famille où tous disposent d'assez d'espace et de respect pour laisser s'épanouir leur propre personnalité est une préparation à la vie adulte, aux interactions sociales et à la vie autonome.

* * *

POINTS SAILLANTS EN BREF

- Partager sa vie avec d'autres est enrichissant, tant pour les introvertis que pour les extravertis, bien que les introvertis puissent trouver plus facile que les extravertis de vivre une vie enrichissante en étant seuls.
- Une personne réservée peut faire appel aux forces caractéristiques d'une personne introvertie lorsqu'elle **recherche un partenaire de vie**.
- Une **relation** peut être réussie, que le partenaire soit introverti ou extraverti. Cependant, dans chaque cas, il faut tenir compte de différents facteurs et surmonter divers obstacles.

- Il est essentiel de reconnaître et de respecter ses propres besoins et ceux de l'autre personne, en termes de communication et de cohabitation. Lorsque les deux partenaires se voient comme une équipe, il est plus facile de considérer les différences comme enrichissantes.

- **Les gens réservés qui vivent seuls** peuvent être satisfaits de leur mode de vie, mais ils risquent aussi de s'isoler et de stagner dans leur développement personnel. Le choix d'activités et de rituels appropriés est un bon moyen de prévenir cela.

- Comme dans les relations de couple, **la vie dans une famille comportant des enfants** fonctionne mieux lorsque chaque membre dispose d'assez d'espace pour ses besoins et son tempérament. D'une part, cela nécessite de la considération et la volonté de faire des compromis, et d'autre part, cela enseigne aux gens à se comprendre les uns les autres.

- **Les enfants introvertis et les enfants extravertis** ont des besoins qui leur sont propres en ce qui concerne la communication et le développement personnel. Lorsqu'on éduque des enfants, il est avantageux pour tous que les parents connaissent leurs propres traits de caractère et leurs propres besoins, et qu'ils offrent aux enfants le soutien qu'il leur faut.

CHAPITRE 5
Aspects public et humain :
façonner son milieu de travail

Simon a 27 ans et il travaille au sein d'une équipe de projet dans une grande société pharmaceutique. Il partage un bureau avec son collègue Boris. Simon est une personne réservée et il travaille le mieux, avec le plus d'efficacité, lorsqu'il peut se concentrer sur un sujet pendant une longue période, de préférence sans bruit de fond.

Cependant, une chose le rend fou, lentement, mais sûrement : Boris est totalement incapable de s'asseoir à son bureau pour travailler de façon soutenue, même pendant une demi-heure. Après un quart d'heure, au plus, il se met à téléphoner, ou sort du bureau. Habituellement, il fait part à Simon de ses allées et venues. Simon est aussi la première personne à qui Boris s'adresse lorsqu'il se trouve coincé face à une question : il préfère résoudre les problèmes en en discutant avec d'autres. Le comportement de Boris arrache souvent Simon à son travail, et celui-ci trouve difficile de s'y replonger, après coup, d'autant plus qu'il se sent alors frustré et en colère. Boris se rend-il compte qu'il dérange ? Même quand Simon ramasse son courage et aborde le sujet de l'harmonie de travail dans un même bureau (comme il l'a tenté quelques fois), les choses ne s'améliorent que pendant un certain temps, puis Boris reprend ses vieilles habitudes.

ON NE CHOISIT PAS SES COLLÈGUES

Dans un contexte professionnel, on ne peut choisir que jusqu'à un certain point les gens avec lesquels on travaille. Les collègues, les clients, les membres de la direction ont tous une personnalité qui leur est propre, ainsi que des faiblesses, des intérêts et des objectifs personnels. Cela peut être stressant, surtout pour les personnes réservées, qui travaillent mieux lorsqu'on les laisse en paix. Cependant, tous ne sont pas aussi affectés que Simon, réservé et sensible, lorsqu'ils doivent partager un bureau avec un extraverti comme Boris.

LES INTROVERTIS RÉUSSISSENT DANS TOUS LES SECTEURS

Mais les gens introvertis ne sont pas en minorité ! Cela signifie que les introvertis ne sont pas seulement des analystes, des vérificateurs, des chercheurs et des spécialistes de TI. On constate que dans tous les secteurs, les introvertis réussissent (au moins) aussi bien que les extravertis, avec leurs propres ressources et leurs propres forces. Ils réussissent aussi beaucoup mieux dans certains domaines : par exemple, la révolution numérique et le développement des réseaux sociaux n'auraient pu se produire sans que des maniaques de la technologie tenaces ne bûchent sur un certain sujet. (Par contre, il y aurait certainement eu quelques pirates informatiques en moins…)

LA RÉUSSITE DES INTROVERTIS AU COURS D'UNE JOURNÉE NORMALE DE TRAVAIL

Le présent chapitre n'est pas censé remplacer les manuels sur la carrière, la gestion ou la direction. L'accent est placé sur les forces et les besoins des gens réservés, mais dans un contexte professionnel. Les sujets dont nous traitons ici sont les questions et les points de pression les plus importants auxquels les introvertis doivent souvent faire face dans la vie publique. Comment vous comportez-vous, dans le travail d'équipe ? Comment vous débrouillez-vous, en tant que personne réservée, pour vous y sentir à l'aise ? Comment présentez-vous vos réalisations, surtout si vous n'aimez pas parler de ce que vous pouvez faire et réaliser? Comment, en tant qu'introverti, utilisez-vous les voies de communication pour qu'elles répondent à vos besoins? Ce chapitre se termine sur un facteur de stress qui n'est pas très visible, mais bien tangible, auquel les gens réservés doivent faire face: comment les introvertis peuvent-ils satisfaire à leurs propres besoins, au cours de voyages d'affaires? Mais, essentiellement, nous nous pencherons sur une grande question: comment façonner vos communications pour qu'elles vous conviennent et vous mènent à la réussite professionnelle?

Les domaines importants de la vie professionnelle, comme les relations avec les clients, la négociation, la présentation d'allocutions et la communication lors de réunions, sont abordés plus en détail aux chapitres 6 à 9.

LES GENS RÉSERVÉS EN ÉQUIPE

Les introvertis sont-ils incapables de travailler en équipe?

Les gens réservés aiment travailler seuls et sont plus préoccupés par les processus internes. Cela fait naître le doute qu'ils soient moins aptes à travailler en équipe que leurs collègues extravertis, qui peuvent même puiser de l'énergie dans le travail de groupe. Mais c'est faux. Certains projets échoueraient sans les introvertis, et le rendement de l'équipe en serait sérieusement affecté. Par contre, deux autres énoncés sont certainement vrais: premièrement, les introvertis qui travaillent en équipe sont facilement sous-estimés, et deuxièmement, les introvertis se comportent souvent différemment des extravertis au sein d'une équipe.

Le membre de l'équipe sous-estimé

Les introvertis sont discrets; pourquoi en irait-il autrement au sein d'une équipe? Cette réserve peut très bien fonctionner dans un groupe si les réalisations des membres réservés de l'équipe sont reconnues. Cela dépend de divers facteurs: le milieu professionnel, la culture de l'entreprise, l'attitude des collègues et de la direction, et la proportion d'introvertis/extravertis de l'équipe.

Sarah, une connaissance, travaillait jusqu'à il y a quelques mois au service des ressources humaines d'un vaste groupe d'entreprises britanniques. Elle et une autre collègue introvertie étaient manifestement en minorité en tant que personnes réservées, parmi des personnalités nettement extraverties. Sa supérieure lui a clairement fait comprendre qu'elle ne voulait plus d'elle dans son équipe : Sarah lui semblait trop fade et manquant d'esprit d'initiative. Sarah a compris le message, a postulé à un meilleur poste, et l'a obtenu. Parce qu'elle n'avait pas su mettre ses qualités en valeur, sa patronne extravertie ne les avait pas discernées : Sarah était une excellente recherchiste, experte en rédaction de documents et avait de très bons contacts dans de nombreux secteurs de l'entreprise. Sa supérieure ne s'est rendu compte de ce qu'elle avait perdu que lorsque les problèmes se sont mis à surgir : les circuits d'information ont été rompus, et les documents ont été critiqués pour leur manque de clarté. Cependant, dans le cas en question, l'ex-patronne a été assez juste pour avouer qu'elle avait mal jugé son employée.

Lorsque les qualités passent inaperçues

Beaucoup d'introvertis vivent des expériences semblables à celle de Sarah : on les sous-estime, même si leurs forces leur permettent de travailler d'une façon qui améliore grandement les réalisations de l'équipe. Il y a donc quelque chose qui cloche : les extravertis ne reconnaissent pas les qualités de leurs collègues introvertis. Mais ce n'est là qu'une demi-vérité : en fait, ces travailleurs introvertis font peu pour faire connaître leurs forces et leurs accomplissements.

LE TRAVAIL D'ÉQUIPE DES INTROVERTIS

Donner de la visibilité aux réalisations

La question essentielle qui se pose est celle-ci : comment pouvez-vous, en tant que personne introvertie, travailler et communiquer au sein de votre équipe, d'une manière que vous et vos réalisations ayez assez de visibilité ? Et que pouvez-vous faire pour vous sentir le plus à l'aise possible avec vos collègues, et qu'eux le soient avec vous ?

Stratégies pour réussir le travail d'équipe

Les bonnes réponses à cette question devraient satisfaire à deux conditions : elles devraient tenir compte de vos besoins et de ceux des membres extravertis de votre équipe (parce qu'avec les introvertis, c'est simple…). Les stratégies qui suivent visent à réunir ces deux points de vue.

Communiquez efficacement au sein de l'équipe : vous pourrez ensuite regrouper vos besoins et ceux des autres

1. Votre besoin : travailler longtemps seul, sans vous faire déranger.

Besoin d'extraverti : travailler par étapes, discuter des constatations, des résultats et de la suite à donner, avec les autres.

Stratégie : créer des rituels concernant l'échange d'idées et d'information, que vous et vos collègues pouvez suivre, et qui vous permettront également de vous concentrer sur votre travail.

Suggestions :

- Arrivez plus tôt au travail, ou restez plus tard, lorsque les autres s'en vont : utilisez cette période pour vous consacrer plus longtemps à un projet.
- Attardez-vous après les réunions pour discuter d'une question avec les autres. Programmez ce temps de façon explicite.
- Convenez avec vos collègues d'une case horaire quotidienne pendant laquelle vous pourrez travailler sans interruption.
- Divisez votre travail en portions quotidiennes et faites une pause après un certain temps pour en parler aux autres. Utilisez aussi le courriel et le téléphone à cette fin.
- Si des collègues arrivent sans s'être annoncés, vous pouvez fixer un autre moment si vous ne pouvez pas les voir sur-le-champ : «Je travaille à quelque chose d'urgent. Aurais-tu le temps de prendre un café, après le repas, ce midi ?» Évidemment, cela ne convient pas aux situations de crise de toutes sortes !

- Parlez de votre travail à vos collègues. Soyez précis : «La façon dont ce client a réagi, la semaine dernière…» Ce soin du détail est très bien perçu !

2. Votre besoin : prendre des dispositions pour avoir la paix, de temps à autre.

Besoin d'extraverti : prévoir des discussions avec d'autres, de temps en temps.

Stratégie : lors d'événements, ou même au quotidien, intégrez des périodes de discussion avec les collègues. Planifiez des temps d'arrêt de la même façon.

Suggestions :

- Traitez votre travail comme une scène de théâtre. Il faut assurer une certaine présence pour justifier l'absence. Créez des occasions de vous absenter de temps à autre pour pouvoir vous reposer ; ce peut être une promenade pendant la pause du midi et, dans les situations particulièrement stressantes, même une mini-pause dans une cabine de toilette.

- Fixez un rendez-vous à quelqu'un pour le repas du midi. Beaucoup de gens réservés aiment aller manger avec une ou deux personnes. Accordez toute votre attention à votre interlocuteur.

- Manquez certains petits modules lorsque vous prenez part à des congrès ou à des séminaires : une conférence, par exemple. Utilisez ce temps pour vous relaxer.

- Pour faciliter les choses, tentez de découvrir les règles informelles de l'équipe : quelles sont les activités sociales et les réunions qui sont importantes, et celles qui ne le sont pas ? Agissez comme il convient. Par exemple :
  - Ayez le courage de ne pas participer aux événements de faible importance, comme aller prendre un verre dans un bar après une journée épuisante lors d'une activité professionnelle. Compensez en prenant part à une autre activité sociale lorsque votre niveau d'énergie sera plus élevé ; vous pourriez participer à la première soirée, mais pas à la deuxième.
  - Suggérez des activités qui vous plairaient, comme essayer un nouveau bistro ou organiser une collecte pour acheter un cadeau d'anniversaire à un collègue.

3. Votre besoin : parler moins, travailler davantage.

Besoin d'extraverti : utiliser la communication pour montrer à qui on a affaire, et l'impression qu'on laisse.

Stratégie : communiquer en ayant un résultat bien défini à l'esprit.

Suggestions :

- Particulièrement si vous aimez travailler en solitaire, vous devriez réunir toutes vos histoires à succès. Par écrit. C'est bon pour votre confiance en vous et cela permet de glisser un mot, au moment approprié : «Je viens justement de terminer un projet semblable, soit...»

- Ne voyez pas les réunions comme une perte de temps ; utilisez les renseignements figurant au chapitre 9.

- Restez en contact avec les personnes que vous admirez. Utilisez les conseils du chapitre 6 à cette fin.

- Faites appel à votre sens de l'observation et à votre capacité d'analyse : qu'est-ce qui importe pour les gens qui vous entourent ? Qu'est-ce qu'ils aiment ? À l'occasion, montrez-leur que vous avez remarqué ce qui les intéresse : «T'intéresses-tu toujours à l'exposition Botticelli au musée ? Ma sœur vient d'y aller et elle dit que ça vaut vraiment le déplacement.»

- Découvrez votre propre sens de l'humour. Utilisez-le pour attirer une attention positive. Exceptions : le sarcasme et l'ironie.

- Aidez vos collègues (et vos supérieurs !) extravertis en résumant les principaux points des conversations ou en suscitant et en soutenant des décisions.

- Assumez vos responsabilités et communiquez en conséquence : présentez les résultats de l'équipe, si c'est de votre domaine. Expliquez clairement les affectations et les attentes lorsque vous entreprenez quelque chose de nouveau ou que vous avez un nouveau collègue. Abordez les gens si quelque chose ne fonctionne pas comme il faut.

- Assurez-vous que votre communication est bien ciblée : soyez quelqu'un qui *résout les problèmes,* et non *quelqu'un qui a des réserves.* Dites ainsi : «Comment pouvons-nous être certains que la livraison sera faite à temps ?» plutôt que : «L'expédition ne se fera certainement pas à temps ! » Les deux réactions sont déclenchées par la même situation...

- Assurez-vous que les étapes importantes sont soulignées ; vous renforcerez ainsi le sentiment de travailler ensemble à un moment positif, et vous mettrez en lumière le bon travail de l'équipe. Surtout, n'hésitez pas à inviter les membres de la direction à cette célébration...

STRATÉGIES DE LEADERSHIP POUR LES INTROVERTIS

Êtes-vous une personne réservée qui occupe un poste de commandement ? Si c'est le cas, vous n'êtes pas seul. Il y a beaucoup de dirigeants réservés qui réussissent très bien ! Et il y a une explication à cela. Dans son livre sur les patrons introvertis, Jennifer Kahnweiler (2009) cite trois forces particulières que possèdent bien des gestionnaires réservés : premièrement, ils peuvent, sans effort, faire fi de leur ego, dans l'intérêt de leur domaine de responsabilité (dans ce livre, il s'agit de la 7e force, l'indépendance) ; deuxièmement, ils ont une confiance tranquille en eux (5e force, le calme) ; et troisièmement, ils sont particulièrement compétents au point de vue social, car ils peuvent tenir compte de leurs collègues et des besoins de ces derniers (4e force, l'écoute, et 10e force, l'empathie). Les patrons réservés laissent souvent une marge de manœuvre aux employés actifs et motivés pour qu'ils puissent concrétiser des idées et perfectionner des compétences.

Mais il existe aussi des facteurs qui donnent du fil à retordre aux dirigeants réservés : le stress, l'absence de réseaux, le manque de projection hors de soi et les impressions erronées qu'ont les autres. Ils sont reliés aux modes de communication préférés des gens réservés et aussi aux divers obstacles avec lesquels vous vous êtes familiarisés au chapitre 3.

Sortir de sa zone de confort

Lorsque des gens réservés acceptent un poste de gestion, cela signifie souvent, pour eux, de sortir de leur zone de confort. Soudain, il ne s'agit plus de s'attaquer brillamment à un domaine gérable : ils doivent faire appel à leurs propres aptitudes à communiquer pour inciter les employés de divers services à travailler tous ensemble, comme un orchestre. S'ils ont tendance à avoir un trop grand souci du détail (2ᵉ obstacle), à éviter les contacts (9ᵉ obstacle) ou les conflits (10ᵉ obstacle), alors le poste de direction peut facilement devenir un cauchemar. Les nouveaux problèmes et les nouvelles responsabilités peuvent rapidement sembler diffus, incompréhensibles ou chaotiques, et ce qui rendait la prise de décisions plus facile et plus rapide, dans leurs anciennes fonctions, leur manque beaucoup.

Il y a des personnes réservées qui refusent carrément d'occuper un poste de direction (ou qui préfèrent être pigistes, de façon à être aussi indépendants que possible). C'est très bien. Cependant, si vous devez décider si vous allez ou non monter dans la hiérarchie, assurez-vous d'une chose : il ne faut pas que ce soit le fait de sortir de votre zone de confort qui vous empêche d'accepter le poste. Comme nous l'avons déjà dit, il existe des patrons réservés qui sont remarquables.

Regardons-y de plus près : qu'est-ce qui fait que les patrons réservés se distinguent en tant que leaders ? La réponse réside dans quatre stratégies de base.

STRATÉGIE DIRECTORIALE Nᴼ 1 : BÂTIR SA CONFIANCE EN SOI

Le contexte est simple : si vous occupez un poste de cadre et n'êtes pas convaincu de vos forces et de vos compétences, vous trouverez difficile de convaincre vos collègues que vous les possédez. C'est parce que vous émettez trop de signaux, verbaux et corporels, disant : «En fait, je ne me sens pas très convaincant.» Il ne s'agit pas d'une invitation à adopter une attitude à la King Kong ; et, comme vous êtes une personne réservée, vous n'iriez sûrement pas jusqu'à le faire. Mais vous devriez et pourriez cultiver une saine confiance en vous. Prenez conscience de vos forces et acceptez vos points faibles sans complexe, quelles que soient les réactions de votre entourage. La confiance en soi et la connaissance de soi sont intimement liées.

Tenez un journal de vos réussites

Beaucoup de gens réservés ont une tendance à l'autocritique parce qu'ils évaluent constamment leur comportement, la façon dont ils communiquent et leurs pensées, et traitent tout cela dans leur for intérieur. Êtes-vous de ceux-là? Le cas échéant, cela vous aiderait de diriger vos pensées vers le renforcement de l'estime de soi, en vous posant des questions concrètes. Demandez-vous, tous les soirs : «Qu'est-ce que j'ai mené à bien, aujourd'hui? Quelles forces ai-je pu utiliser?» Si vous voulez renforcer votre confiance en vous d'une manière particulièrement efficace, tenez un journal de ces réussites, et inscrivez-y quelque chose chaque jour. Vous verrez rapidement que vos perspectives changent et que votre confiance en vous augmente.

Si vous croyez avoir à travailler plus assidûment pour acquérir de la confiance en vous, cela vous aiderait probablement d'avoir un mentor à vos côtés.

STRATÉGIE DIRECTORIALE N⁰ 2 : ACCORDER TOUTE SON ATTENTION À SON INTERLOCUTEUR

Cette deuxième stratégie est directement liée à l'empathie (10ᵉ force), mais aussi à des forces comme la concentration (3ᵉ force) et l'écoute (4ᵉ force). Cela fait passer votre perspective de vous-même aux gens qui vous entourent, c'est-à-dire vos supérieurs et vos collègues.

Les dirigeants introvertis peuvent travailler la force de leur impact sur les autres en concentrant leur attention directement sur leur interlocuteur. Cela se manifeste particulièrement :

- par la capacité de voir son interlocuteur comme une personne, et pas nécessairement d'un point de vue professionnel (son enfant malade, sa destination de vacances préférée) ;
- par la capacité de tenir une conversation ayant de la substance, du contenu ;

- par la capacité d'écouter sans parti pris (autrement dit, sans faire d'évaluation instantanée ou sans avoir une attitude critique) et d'assurer la discrétion;
- par la capacité de prendre au sérieux l'opinion des autres, sans tenir compte du statut ou de la prédominance de la personne, et de l'inclure dans ses propres considérations.

Assurer une forte présence grâce à l'empathie

Un cadre attentif peut avoir une présence puissante. La première stratégie directoriale ne suffit pas, à cette fin : les gens qui se fient uniquement à la confiance en soi et qui restent tournés vers l'intérieur ne sont pas vraiment présents : ils ne se branchent pas sur le monde qui les entoure, même s'ils prêtent attention aux rituels sociaux de l'échange de vues et d'information. Nous pouvons tous sentir si quelqu'un nous écoute avec un intérêt véritable et nous accorde toute son attention.

Un patron qui est attentif à ses supérieurs et à ses collègues compte plusieurs avantages : il a plus facilement accès à l'information parce que la plupart des gens aiment lui parler et lui font confiance. Il découvre ce qui motive les membres de son équipe en sachant ce qui leur importe : davantage de temps à la maison, une augmentation salariale ou un projet à venir emballant. Il sait qui est l'employé idéal pour se charger d'un certain projet et qui pourrait tirer parti du mentorat. Bref, cette personne est vraiment à sa place. Et les employés sentent que l'on veille sur eux et qu'on les remarque.

STRATÉGIE DIRECTORIALE N⁰ 3 : S'ASSURER D'AVOIR UNE BONNE VUE D'ENSEMBLE

Gardez toujours à l'œil les objectifs de l'entreprise

Les bons dirigeants voient toujours au-delà du prochain projet. Ils ont une vue d'ensemble des objectifs de l'entreprise ainsi que du rôle et des capacités de leur service. Cela signifie qu'ils peuvent prendre du recul par rapport aux activités de tous les jours, ce qui leur permet d'agir avec souplesse, de changer leurs plans rapidement (parce que l'imprévu se produit tout le temps), et de fixer des priorités (parce qu'il y a toujours tant à faire).

La planification : le point fort des introvertis

Les gens qui planifient les objectifs et l'expansion de leur service obtiennent en prime une vue d'ensemble, même lorsque seulement une partie du plan peut être mise en œuvre. La planification est le point fort de bien des dirigeants réservés : leurs forces sont notamment l'écriture (9e force), accompagnée de l'examen analytique détaillé et d'une division en sous-objectifs comportant des priorités (6e force) et d'une vue précise de l'essentiel (2e force). La persévérance (8e force) contribue aussi à l'atteinte des objectifs fixés.

Si vous suivez la troisième stratégie directoriale, vous remarquerez ces trois choses : premièrement, vous êtes efficace. Deuxièmement, vous trouverez plus facile de motiver les autres, de fixer des objectifs et des cibles, particulièrement si vous avez mis en œuvre la deuxième stratégie. Troisièmement, vous trouverez plus facile de communiquer avec votre supérieur à propos de votre domaine de travail et de plaider en faveur de certaines décisions : on commencera à vous voir comme un dirigeant qui sait exactement ce qu'il fait. Ce qui est le cas, bien entendu !

STRATÉGIE DIRECTORIALE N° 4 : PEAUFINER SA CAPACITÉ À TENIR UN DIALOGUE ET À TRAITER LES CONFLITS

Surveillez la communication au sein de l'équipe

En tant que dirigeant, vous n'êtes pas seulement responsable d'atteindre des objectifs en matière de productivité et de vous assurer que le travail est fait ; l'une de vos autres tâches est de surveiller la communication : à quel point les membres de votre équipe collaborent-ils ? Qui devrait faire équipe avec qui ? Quiconque ne pose pas de telles questions en subira sous peu les dures conséquences : il y aura escalade des conflits, le silence radio donnera lieu à une perte d'information et, peut-être, de ressources ; l'absence d'échange d'idées entre les gens crée des malentendus ou mène à la formation de cliques.

Cette stratégie de gestion repose sur vos aptitudes sociales. Nous verrons où résident les occasions et les avantages, sous les rubriques « Le dialogue » et « Les conflits ».

Le dialogue

Pendant une trentaine d'années, les Américains ont eu une magnifique expression pour désigner un dialogue réussi, établi par une équipe de gestion : la « gestion itinérante ». Le principe est simple : en sortant de votre bureau, assurez-vous de rencontrer les gens qui vous entourent, au point de vue professionnel, et communiquez avec eux. En tant que personne réservée, vous trouverez particulièrement agréable, dans ce contexte, de ne rencontrer qu'une personne à la fois, ou très peu de gens. Vous en apprendrez également davantage : on peut discuter plus facilement à deux, ou dans un groupe restreint, que dans une assemblée générale.

Alors, allez-y : rencontrez vos superviseurs, vos collègues et vos employés là où ils travaillent (ou mangent). Profitez des voyages d'affaires, du covoiturage, des temps d'attente avec d'autres et des activités sociales pour entamer la conversation. Utilisez la stratégie directoriale n° 2 et accordez toute votre attention à votre interlocuteur. Soyez un patron approchable !

PRATIQUEZ LA GESTION ITINÉRANTE.

Vous accomplirez deux choses en pratiquant la gestion itinérante : premièrement, vous en apprendrez davantage. Sur l'atmosphère (notamment, les conflits et l'intimidation ; voir ci-dessous), les nouvelles et les surprises, les questions confidentielles et personnelles, le potentiel et les problèmes. Deuxièmement, vous deviendrez un gestionnaire extrêmement populaire et on vous considérera comme une personne qui sait prendre le pouls de l'entreprise. Après tout, ce pouls n'est-il pas l'ensemble des questions qui préoccupent les gens autour de vous ?

Les conflits

Les conflits sont tout à fait normaux. Les gens sont différents (dans ce qu'ils ressentent, désirent ou font, dans leurs habitudes et leurs particularités). Une chose est vraie concernant tous les contextes dans lesquels les gens (collègues, clients et partenaires d'affaires) de différentes générations, traditions et cultures, travaillent : les différences de personnalités mènent souvent à des conflits, lorsqu'il y a désaccord. Les deux collègues de bureau, Simon et Boris, sur lesquels nous nous sommes penchés, au début de ce chapitre, présentent des différences qui ont un potentiel de conflit.

Un conflit peut signifier des occasions

Mais les désaccords en eux-mêmes ne mènent pas nécessairement à de véritables frictions. On peut reconnaître les conflits parce qu'ils deviennent un fardeau émotionnel pour les personnes concernées et que le milieu de travail en subit les répercussions négatives. Les conflits comportent un risque : si on ne les aborde pas et qu'on ne les règle pas, ils ne disparaissent pas, mais s'amplifient, tout comme le fardeau qu'ils imposent et leurs conséquences négatives. Les conflits graves peuvent saper complètement la capacité des membres d'une équipe à travailler ensemble. Mais, si on s'attaque aux conflits et qu'on en discute, ils peuvent aussi présenter des occasions à saisir : un conflit peut alors servir de « sismographe » de problèmes, de mesure de « niveaux de communication » et ainsi contribuer à améliorer la communication, mais aussi les situations, les processus ou le comportement général. Et cette amélioration constitue une autre tâche de gestion.

Abordez les conflits de façon active

Pour ces deux raisons (les dommages possibles et les améliorations possibles), les dirigeants devraient être en mesure de gérer les conflits de manière active et d'adapter leurs stratégies de communication aux différences de personnalité ; autrement dit, aux Japonais et aux Français, aux apprentis et aux membres de la haute direction, et bien sûr, aux introvertis et aux extravertis. Nous vous avons présenté Simon et Boris au début de ce chapitre. Leur patron a constaté qu'il y avait de la tension entre eux, et a désamorcé la situation en offrant à Simon son propre petit bureau lorsque le service a déménagé dans un autre immeuble, tout en plaçant Boris dans un bureau pour deux personnes, avec un autre employé extraverti.

L'intimidation en milieu de travail

Gérer les conflits, c'est aussi traiter les cas d'intimidation au travail. Si vous entretenez un dialogue approprié avec vos employés, vous en viendrez à prendre connaissance des problèmes dans le milieu professionnel. Cependant, en tant que personne réservée, vous trouverez probablement difficile de parler de sujets désagréables et d'y remédier, particulièrement si la fuite (5e obstacle) et l'évitement des conflits (10e obstacle) font partie de vos caractéristiques. Mais, ne vous en faites pas trop : les conflits constituent un terrain miné pour les extravertis aussi !

FAITES CONNAÎTRE VOS RÉALISATIONS

Pourquoi les introvertis ne font pas l'objet de promotions

Peu importe à quel point les introvertis peuvent être efficaces et de haut calibre au travail, ils éprouvent habituellement un problème dans un domaine précis : ils n'aiment pas faire leur propre publicité et se montrent critiques à l'égard des vantards et des fanfarons. C'est là un côté de la médaille. Le revers, c'est qu'on oublie souvent les gens réservés, au moment d'accorder des promotions, simplement parce que les décideurs n'en savent pas assez sur leurs réalisations et leurs réussites.

Deux questions pour vous

D'après vous, quelles sont les possibilités que vous réussissiez à mettre en œuvre les quatre stratégies directoriales ? Comment pouvez-vous améliorer chacune de ces stratégies ?

Stratégie directoriale	Mes compétences	Façon d'aborder l'amélioration
1. Acquérir de la confiance en soi		
2. Prêter attention		
3. Obtenir une vue d'ensemble		
4. Peaufiner ses aptitudes à la gestion de conflits et au dialogue		

Les principes d'une communication réussie au travail

La stratégie qui sera couronnée de succès se situe entre les deux : vous ne devriez pas vous louanger vous-même, mais vous devriez vous assurer que vos réalisations sont assez visibles, et de façon appropriée. Les principes qui suivent vous aideront à faire part de vos propres forces et de vos réussites.

Communiquez dans l'intérêt de votre carrière : cinq principes pour le quotidien

1er principe : gardez vos supérieurs dans le tableau et, surtout, soyez certain de ce que vous faites ! Notez par écrit tout ce que vous considérez comme une réalisation : les ventes conclues, les projets achevés, les problèmes résolus, la communication réussie avec des collègues et des clients (difficiles). Vous pouvez facilement oublier les éléments que vous ne notez pas. Et, ce qui est encore plus important : votre liste de réussites vous aidera lorsque vous aurez tendance à l'autocritique. Songez-y : si vous n'êtes pas convaincu de vos propres accomplissements, comment les autres sont-ils censés l'être ? Évitez l'autocritique virulente et le perfectionnisme à outrance, en dressant objectivement la liste de vos réalisations. Cela vous apprendra également à en tenir compte...

Révisez votre liste tous les six mois. Ajoutez vos réalisations dignes de mention au cours de cette période. Si vous êtes salarié et que vous tentez d'atteindre des objectifs fixés par vos supérieurs, ces objectifs constituent une excellente base, et ils vous fourniront des arguments que vous pourrez présenter pour obtenir une hausse salariale ! Et le fait que vous obteniez ainsi le « dossier complet de vos réussites » est peut-être encore plus important. Cela vous force à prêter attention à ce que vous avez accompli, ce qui est souvent négligé. Vous obtenez également une vision plus claire de ce que vous trouvez facile et de ce qui vous intéresse. Conséquence : une plus grande confiance en soi !

Vous réussirez mieux à appliquer ce principe si vous savez ce qui compte dans votre contexte professionnel :
- Qu'est-ce qui constitue une réussite ?
- Qu'est-ce qui est considéré comme particulièrement important ?
- Quelles sont les compétences requises ?

Assurez-vous que les réussites que vous notez correspondent aux réponses à ces questions.

Ce principe fonctionne aussi très bien avec les supérieurs qui ont une tendance à la microgestion : prenez l'habitude de leur envoyer régulièrement (à la fin de chaque semaine ou toutes les deux semaines), sur une page au maximum, un bref résumé de l'évolution de la situation dans les projets en cours. Divisez-la selon un modèle particulier. Les titres de rubrique éprouvés sont : le nom du projet, son évolution (sous forme de liste à puces), les mesures à prendre, les questions à régler. La personne qui reçoit ce type de renseignements le vendredi peut se détendre.

2ᵉ principe : établissez des relations avec vos collègues et vos supérieurs. Les réalisations sont habituellement rendues publiques lors d'activités professionnelles comme des discussions avec les employés, des réunions et des conférences. Mais cette communication « officielle » n'est qu'une tribune pour donner de la visibilité ; vous devez aussi établir votre propre réseau professionnel, à l'intérieur et à l'extérieur de votre lieu de travail. Allez prendre un repas avec des collègues sélectionnés. Prenez part à des activités informelles comme les fêtes d'anniversaire. Faites-vous des amis fiables. La 4ᵉ stratégie directoriale ainsi que le chapitre 6 vous aideront à appliquer ce principe.

3ᵉ principe : montrez votre intérêt. Si vous suivez assidûment le 1ᵉʳ principe, vous saurez ce que vous trouvez facile et ce qui vous intéresse. Fondez l'avancement possible de votre carrière sur ceci : le mieux est de vous diriger vers le travail que vous préférez et de bien le faire.

Mais les gens qui vous entourent ne sont pas clairvoyants. Alors, si vous vous intéressez à un projet particulier ou à un domaine de travail, mentionnez-le (de façon décontractée) aux bonnes personnes. Et vous trouverez cela plus facile si vous suivez le 2ᵉ principe...

4e principe : assumez vos responsabilités. Il y a un tas de choses qui ne sont pas nécessairement «votre boulot», mais qui montrent ce que vous pouvez faire. Décidez consciemment de réaliser un certain travail et assumez-en la responsabilité.

Cela pourrait signifier de négocier avec un client difficile, que les autres évitent. Cela pourrait aussi vouloir dire de prendre la parole devant un comité de direction. Ayez certains points présents à l'esprit lorsque vous vous rendez à une réunion ; faites-les inscrire à l'ordre du jour à votre nom et rassemblez le courage de présenter la situation telle qu'elle est, ou fournissez un rapport d'étape, même si vos supérieurs assistent à la réunion.

Assumer ses responsabilités, c'est être visible : les autres remarquent ce sur quoi vous prenez position et ce que vous faites. La responsabilité implique aussi le risque : vous pourriez échouer, dans un certain travail, et cela se remarquera. Mais, si les carrières étaient aussi faciles, tout le monde réussirait !

5e principe : déléguez les responsabilités. Non, cela ne contredit pas le principe précédent. Vous ne pouvez assumer vos responsabilités qu'en déléguant certaines tâches qui feront agir d'autres personnes et qui ne présentent plus de défi pour vous. Même si vous trouvez cela difficile, allez-y, déléguez des tâches à vos employés, cédez votre responsabilité si vous croyez que la personne concernée peut s'en charger. Résultat : les gens compétents sont motivés lorsqu'on leur lance des défis, et on les remarque alors. Ainsi, vous trouverez plus facile d'attirer des gens compétents dans votre équipe. Cette stratégie est bénéfique pour vous, personnellement, parce qu'elle vous donne plus de temps pour vos propres secteurs de responsabilité, ceux que vous classez comme importants, en vertu du 4e principe.

Mais, attention : la délégation de responsabilités a aussi son prix. Cela pourrait signifier que vous aurez à donner quelques conseils à Johanne, avant qu'elle puisse organiser une activité. Cela prend du temps. Cela pourrait aussi signifier que Richard n'est pas capable de donner la présentation, auquel cas, vous devrez vous en charger, car vous en êtes également responsable, en tant que son supérieur. Il en va de même du 4e principe : la responsabilité représente aussi un risque. Mais les gains possibles sont que votre fardeau s'allégera, une fois que Johanne aura assumé ses responsabilités et réalisé sa première expérience de coordonnatrice. Et, lorsque Richard aura maîtrisé l'art de donner des présentations, vous en sortirez aussi gagnant.

TIRER PARTI DES VOIES DE COMMUNICATION

Le téléphone et le courriel sont les voies de communication les plus courantes dans la vie professionnelle, de même que dans les contacts personnels. Avec les téléphones intelligents qui peuvent envoyer et recevoir des courriels, nous sommes toujours accessibles, même si nous ne nous trouvons pas dans notre environnement de travail, ou du moins, c'est ce que beaucoup de gens qui communiquent avec nous tiennent pour acquis.

La plupart des gens privilégient l'un ou l'autre de ces deux moyens de communication : d'après mon expérience, la plupart des gens réservés préfèrent le courriel au téléphone, pour des raisons qui deviendront claires dans les pages qui suivent. Mais, les préférences mises à part, la nature de la question et la personne en cause rendent le courriel plus approprié dans certains cas, et le téléphone, dans d'autres cas, alors nous avons besoin de ces deux modes de communication, dans notre vie professionnelle. Nous allons nous pencher sur la manière dont vous, personne réservée, pouvez les utiliser au mieux pour vous-même et pour les autres. Mais notez bien ceci : dans certaines situations, vous ne devriez communiquer qu'en personne, par exemple si vous annoncez une grossesse, que vous licenciez un employé ou que vous faites une critique.

Le téléphone

Les gens réservés et le téléphone ne font pas toujours bon ménage. Beaucoup de gens réservés se sentent dérangés lorsque le téléphone sonne. Cela s'applique particulièrement aux personnes qui aiment travailler à un projet pendant de longues séances, mais c'est aussi vrai en général : un appel téléphonique fait perdre la concentration, ainsi que de l'énergie, car pour les introvertis, les appels téléphoniques exercent un certain stress. Il y a deux raisons principales à cela : d'abord, la personne qui reçoit l'appel doit répondre directement à l'appelant et s'enquérir de ce qu'il veut. C'est plus complexe qu'en personne, parce qu'à part les renseignements que transmet la voix (la hauteur, le volume, la vitesse et l'intonation), il n'y a pas de langage corporel pour faciliter l'interprétation. De plus, au téléphone, une réponse immédiate à ce qui vient d'être dit est attendue ; contrairement à la rédaction d'un courriel, il n'y a pas de décalage. Cela signifie que les personnes réservées ne sont pas seulement dérangées par la sonnerie du téléphone, mais qu'elles se sentent piégées par ce moyen de communication. Les extravertis voient souvent les appels téléphoniques comme des occasions d'échanger des idées en attendant de se voir, et moins comme une interruption que comme un stimulus agréable du monde extérieur.

POUR LES GENS RÉSERVÉS, UN APPEL TÉLÉPHONIQUE EST SOUVENT SYNONYME DE STRESS ET D'IMPUISSANCE FACE À UNE SITUATION.

Les appels téléphoniques : un défi

Par ailleurs, les gens réservés hésitent davantage lorsqu'il s'agit de téléphoner à quelqu'un. Il y a deux raisons précises à cela. Premièrement, les introvertis ont plus tendance à craindre que leur appel n'incommode leur interlocuteur, qu'il s'agisse d'un client, d'un patron ou d'un collègue. C'est sans doute en raison de leur propre réaction aux appels téléphoniques : si les introvertis se sentent dérangés par le téléphone, ils penseront probablement qu'il en est de même pour les personnes qu'ils appellent. Deuxièmement, un appel téléphonique est un saut dans l'inconnu, lorsque nous le faisons nous-mêmes : et si le patron en venait à aborder un autre sujet, ou si le client que vous appelez se plaignait de quelque chose ? Et si le collègue se mettait à papoter sur ceci et cela et que la conversation s'éternisait ? Par ailleurs, c'est un véritable test de « force de caractère » pour les introvertis que de téléphoner à quelqu'un qu'ils ne connaissent pas : il s'agit d'un énorme saut dans l'inconnu. Dans les centres d'appels, les introvertis doivent être une rareté !

Stratégies pour téléphoner sans stress
Il reste à répondre à deux questions pour assurer de bonnes communications au bureau : quand téléphoner à quelqu'un, plutôt que de lui envoyer un courriel ? Et : comment réduire le stress que peut facilement causer aux introvertis le fait de recevoir et de passer des appels ?

Téléphoner : les avantages et la réduction du stress

Téléphonez à quelqu'un...
- si vous pouvez expliquer quelque chose brièvement, directement et rapidement : dans ce cas, téléphoner, plutôt que d'envoyer un courriel, vous permettra de gagner du temps ;
- si vous désirez parler à votre interlocuteur d'un sujet « délicat », qui ne devrait pas être mis par écrit à l'avance (ou qui pourrait facilement être mal interprété). Votre ton de voix fournira des renseignements supplémentaires, et le téléphone est le moyen de communication le plus discret, dans ce cas, si vous ne pouvez pas avoir de rencontre face à face ;
- si vous avez besoin de négocier quelque chose. Par exemple, si vous tentez d'en venir à une entente sur un prix de vente, un appel téléphonique est plus discret qu'un courriel, en raison du sujet « délicat ». Et vous éviterez aussi le flux incessant de courriels de part et d'autre, jusqu'à ce que vous en veniez à une entente.

Comment rendre les appels téléphoniques plus faciles
Si c'est vous qui appelez
Notez vos idées avant l'appel. Écrivez-en les grandes lignes pour faciliter la communication : les questions restées sans réponse, les préoccupations, les éléments d'information, tout ce qui importe au cours de

cet appel. L'avantage, c'est que vous tirez parti de la 9e force, l'écriture, et que vous avez ainsi une idée bien précise devant vos yeux. Si l'appel est particulièrement important et que vous n'êtes vraiment pas sûr de vous, vous pouvez même écrire votre introduction et votre conclusion.

Vous pouvez aussi utiliser ce texte si vous n'arrivez pas à parler à la personne en question et que vous devez laisser un message sur un répondeur ou dans une messagerie vocale. Vous ne pouvez plus corriger ou effacer un message, une fois qu'il est enregistré. Mais, ne vous en faites pas : si vous prévoyez la possibilité d'avoir à laisser un message et que vous le composez à l'avance, parler à une machine sera beaucoup moins stressant et moins long que d'enregistrer un message sur le vif ; ces paroles sont parfois inconsidérées et peuvent laisser croire que vous n'avez pas la situation en main.

Un bon message laissé sur un répondeur devrait être concis. Rassemblez les éléments qui suivent pour en faire des phrases complètes :

- votre nom ;
- la raison de votre appel ;
- votre numéro de téléphone ;
- ce que vous désirez que le destinataire fasse ;
- un au revoir amical (exemple : « Merci beaucoup à l'avance de me rappeler. — Susan Williams »).

Si vous craignez de déranger quelqu'un, dites, dès le départ : « Il me faudra environ cinq minutes. Est-ce le bon moment ? » Cette question est particulièrement importante si vous composez le numéro d'un appareil cellulaire : vous ignorez où se trouve le destinataire. Si vous sentez que votre interlocuteur est stressé, convenez d'un meilleur moment pour vous entretenir, un moment où vous-même subirez le moins de contraintes possible.

Si quelqu'un vous téléphone

Demandez-vous d'abord : puis-je prendre un appel maintenant et en ai-je envie ? Il est parfois plus facile de prendre la décision lorsqu'on reconnaît le numéro de téléphone de l'appelant.

Si la réponse est « oui », faites en sorte que l'appel soit bref (à moins, bien sûr, que vous ne vouliez aborder quelque chose en profondeur). Fixez des limites de temps, dès le départ (« Pouvons-nous faire le tour de la question en cinq minutes ? J'ai jusqu'à 10 heures. »), afin d'établir des balises claires aux interlocuteurs volubiles. Si vous ne l'avez pas fait, vous pouvez aussi terminer l'appel en tenant compte du temps : « Je pense que nous avons réglé les principaux points. Je vous remercie. J'ai une réunion/un rendez-vous, maintenant. » Et rappelez-vous qu'une réunion avec vous-même est aussi une réunion. Vous n'avez pas à fournir de précisions.

Si la réponse est « non », laissez la messagerie vocale ou le répondeur prendre le message. Rappelez à un moment qui vous convient, ou envoyez un courriel, si vous préférez traiter la question ainsi.

Cela peut sembler évident, mais j'ai souvent constaté que ce sont précisément les gens qui n'aiment pas téléphoner qui ne sont pas à l'aise de laisser le téléphone sonner sans y répondre. Rappelez-vous : le téléphone est là pour vous servir, pas le contraire !

Les courriels

Les gens réservés préfèrent communiquer par courriel pour plusieurs raisons : premièrement, ce sont des écrits, ce qui correspond à la 9e force. Les courriels laissent à l'auteur plus de temps pour réfléchir et exprimer sa pensée que le téléphone. Il est ainsi facile de transmettre des chiffres à plusieurs personnes en un seul message, ce qui rend possibles les communications de groupe, même si chaque personne travaille seule : un grand avantage pour les personnes réservées qui privilégient ce mode de travail. Il est possible d'être plus à l'aise dans l'échange de courriels que dans une conversation de vive voix : le niveau d'énergie nécessaire est faible, car on peut communiquer et être seul en même temps.

Le courriel comme moyen de communication rapide

Le courriel a une caractéristique que bien des introvertis négligent: il a la particularité d'être rapide, même s'il s'agit d'un moyen écrit. Ce que je veux dire, c'est que de nombreux extravertis ne choisissent pas leurs mots avec soin, et qu'ils appuient rapidement sur «Envoyer», plutôt que de relire ce qui est à l'écran. De plus, le choix des mots, dans les courriels, a tendance à être moins formel que dans les lettres, et il a beaucoup en commun avec la communication orale, sur le plan du style. Je dis cela parce que les introvertis sont enclins à attribuer leur propre approche prudente de la formulation des idées à leurs destinataires. Cela veut dire qu'ils peuvent rapidement attribuer aux mots contenus dans un courriel une plus grande signification qu'ils n'en ont; ainsi, un message écrit à la hâte et sans soin peut paraître menaçant, et une réponse trop brève peut sembler une critique.

«Rapide» signifie aussi que l'expéditeur du courriel s'attend à recevoir une réponse sans délai, comme dans les échanges verbaux. Alors, toute personne qui prend du temps à répondre suscite chez l'envoyeur des frustrations ou des incertitudes: mon message s'est-il rendu à destination?

LES COURRIELS SONT ÉCRITS, MAIS ILS COMPORTENT CERTAINS DES ATTRIBUTS DE LA COMMUNICATION ORALE.

Le manque de signaux non verbaux

Une des caractéristiques de la communication verbale manque dans les courriels: ceux-ci ne peuvent pas transmettre les signaux non verbaux. Le ton de voix est très révélateur, au téléphone; par exemple, il témoigne de l'importance du message ou du sérieux de ce que dit l'interlocuteur. Si une personne est devant nous, nous pouvons aussi voir ses gestes, ses mouvements et son attitude physique, et nous recevons des messages qui vont au-delà de ce que notre interlocuteur veut que nous comprenions. Ce n'est pas possible par courriel. Les courriels ne véhiculent qu'une catégorie d'information: les mots écrits. L'ajout d'émoticônes n'y change pas grand-chose, mais cela démontre tout de même que l'expéditeur est conscient du fait que l'absence de langage corporel est une lacune, alors il ajoute des «binettes». Autrement dit, nous exprimons rarement nos sentiments en mots : nous les percevons entre les lignes.

La tendance à l'interprétation abusive

Le texte en lui-même ne véhicule que du contenu, et non des déclarations émotionnelles. Cela rend encore plus probable que les lecteurs réfléchis (introvertis) soient tentés de «déduire quelque chose» d'un message écrit : la réponse est-elle beaucoup plus brève que le message envoyé ? Cela pourrait traduire une certaine distance. Est-ce qu'un message commençant par «Madame» a suscité une réponse débutant par «Chère Annie»? Cela pourrait traduire un manque de respect. Si le message comporte très peu d'information, même la salutation peut être interprétée comme un signe de respect ou d'intérêt. Cela peut facilement mener à des malentendus et à des fausses interprétations : le destinataire lit entre les lignes ce qu'il a à l'esprit lui-même ; cela ne correspond nullement aux actes de l'expéditeur (sous forme de langage corporel).

En résumé : il ne faut pas déduire trop d'intentions dans les messages électroniques. De nombreux utilisateurs formulent leurs courriels comme des énoncés oraux : rapidement, sans soin, et sans se soucier outre mesure de la structure et des convenances.

Si l'envoi d'une communication électronique semble convenir au destinataire et au message, alors, n'hésitez pas. Retenez seulement une chose : aussi commode que soit le courriel, il ne peut pas et ne doit pas remplacer la conversation directe avec des supérieurs, des employés et des collègues. Prenez garde que les communications électroniques ne deviennent un moyen d'éviter les contacts personnels et téléphoniques avec les gens qui travaillent autour de vous.

Stratégies pour utiliser le courriel avec succès

Le tableau ci-après est le pendant du résumé sur le téléphone présenté plus haut. Il vous aidera à communiquer avec succès par courriel.

Les meilleures façons d'utiliser le courriel

Envoyez un courriel...

- si vous voulez une réponse «noir sur blanc»: des chiffres, une échéance ou la répartition du travail dans un projet. Cela peut compléter un appel téléphonique, par exemple pendant des négociations, si vous voulez confirmer une entente verbale;
- si votre propre niveau d'énergie est faible et que les communications par courriel sont aussi appropriées que les communications téléphoniques pour le sujet en question;
- si vous organisez une réunion ou fixez une échéance et que vous voulez que tous les gens concernés reçoivent la même information. Autre avantage à ce sujet: un courriel peut être envoyé à plusieurs destinataires et de petits documents, comme des ordres du jour, peuvent y être annexés ou, mieux encore, être intégrés au corps du message;
- si vous faites affaire avec un destinataire que vous ne connaissez pas et que vous ignorez la façon dont cette personne communique verbalement. Un courriel offre plus de sécurité (il vous laisse le temps de réfléchir!) et ne prend pas autant d'énergie.

Tirez parti des avantages du courriel, mais ne le laissez pas remplacer le contact direct.

En conclusion, un dernier conseil: ne soyez pas disponible tout le temps. Fixez des heures pour les appels téléphoniques et pour lire et envoyer des courriels; la fréquence dépend de votre travail. C'est surprenant de voir à quel point cette simple stratégie diminue le stress d'une journée!

LES VOYAGES D'AFFAIRES

Les voyages, un mal nécessaire

Même si j'adore mon travail, me déplacer pour aller voir mes clients est toujours un mal nécessaire que j'accepte pour pouvoir faire ce que j'aime. La raison en est simple : voyager est stressant pour les gens réservés.

Les voyages d'affaires exigent une bien plus grande dépense d'énergie pour les introvertis que pour les extravertis. Très souvent, ils ne permettent pas d'avoir du temps à soi, et le grand nombre d'impressions et d'événements inattendus épuisent les ressources de la personne. Je ne parle pas de désastres majeurs. Les retards de trains et les correspondances incertaines sont fatigants pour les introvertis, tout comme l'attente au milieu d'une foule ou au comptoir de rafraîchissements, où l'on se fait bousculer, mais surtout où les niveaux de bruit sont imprévisibles. Les claquements de portes, ou les conversations dans le corridor, même dans les grands hôtels, comptent parmi mes cauchemars personnels. En train, ceux qui écoutent de la musique très fort, même avec des écouteurs, me font sortir immédiatement mes bouchons d'oreilles.

Trucs pour rendre les voyages agréables

Mais on ne peut pas l'éviter : voyager fait tout simplement partie de la vie professionnelle de bien des gens réservés. Les recommandations qui suivent devraient rendre les voyages plus faciles et plus attrayants. Je les accumule pour mon propre profit depuis un certain temps, déjà.

Conseils pour les introvertis qui voyagent

1. Cherchez des moyens de vous évader. Les moyens de vous évader, c'est tout ce qui vous aide à vous détendre et à recharger vos batteries, de temps à autre.

- Prévoyez de brèves évasions dans votre chambre d'hôtel, lors de séminaires ou de congrès. Laissez simplement tomber une conférence ou une activité sociale. Ou bien, mangez rapidement et oubliez le dessert. Les experts arrivent même à faire une petite sieste.
- Si vous pouvez vous le permettre, voyagez en première classe, en train (dans une tranquille voiture-coach !) et en classe affaires, en avion. Rien que l'espace supplémentaire fait une grande différence, et le niveau de bruit est (habituellement) inférieur.
- Les toilettes. Je les recommande aux lecteurs nerveux comme refuge lorsqu'ils se trouvent dans un environnement inhabituel. Une cabine de toilette est une zone protégée, et c'est l'idéal pour respirer profondément sans auditoire. (Surtout si elle est propre et bien ventilée.)
- Les bouchons d'oreilles offrent aussi un moyen d'évasion, au point de vue acoustique. Ayez-en toujours au moins une paire à portée de la main. Mais j'ai connu des introvertis qui sont allés jusqu'à s'acheter des écouteurs haute technologie (ceux qui éliminent le bruit) et ne jurent que par cela : vous avez la paix, et les gens n'essaient presque jamais de vous parler lorsque vous les portez.

2. Établissez le temps passé à voyager comme une combinaison de «temps de réseautage» et de «temps à vous». Bien sûr, les voyages d'affaires sont également utiles pour établir des contacts. Mais assurez-vous, au cours de votre planification, d'avoir aussi des repas et des périodes de repos seul. C'est important pour recharger ses batteries. Lorsque je voyage pour prendre part à des séminaires, je mange avec les participants au moins une fois, et je rencontre les acheteurs, les relations d'affaires ou les amis seulement tous les deux jours. Voici comment s'applique le principe du réseautage que vous trouverez au chapitre 6 : la qualité, plutôt que la quantité.

Parfois, vous devrez défendre votre «temps à vous» en refusant de faire quelque chose; par exemple, lorsque des collègues, des participants à un séminaire ou d'autres relations vous invitent à vous joindre à eux pour un repas ou une activité. Refusez de façon amicale, mais concise. Ne fournissez pas trop d'explications. Essayez: «Non, pas aujourd'hui. Peut-être demain. Amusez-vous bien ce soir!»

3. Évitez le papotage en voyage. Les extravertis aiment bavarder avec les voyageurs assis à leurs côtés. Si vous êtes fatigué, cela pourrait rapidement vous porter sur les nerfs, et en plus, vous pourriez vous sentir impuissant face à la situation. Mais il y a une chose très simple que vous pouvez faire pour y remédier: préparez quelques phrases afin de dire clairement, d'une façon amicale, que la conversation ou la personne va trop loin:

- «C'était une bonne conversation. Merci.» puis retournez à votre écran ou à vos feuilles.
- «Il faut que je retourne à mon travail, maintenant.»
- «Eh bien, je vais encore fermer les yeux quelques minutes avant notre arrivée.»
- «Merci de vos conseils. Maintenant, j'aimerais bien savoir comment mon livre se termine.»
- «Échangeons nos cartes professionnelles. Je communiquerai avec vous à ce sujet.»

Parfois, nous rencontrons en voyage des gens intéressants qui pourraient bien en venir à faire partie de notre réseau relationnel. Assurez-vous d'échanger vos cartes, lorsque la situation est agréable, afin de rester en relation après le voyage.

* * *

POINTS SAILLANTS EN BREF

- Les introvertis sont tout aussi capables de travailler en équipe que leurs collègues extravertis, bien que leurs moyens et leurs centres d'attention puissent différer. La variété que cela apporte au groupe peut être très productive.

- Les besoins particuliers des introvertis (travailler sans être interrompus, faire des pauses occasionnelles, communiquer avec modération) peuvent cadrer dans les exigences du milieu de travail, moyennant des stratégies précises.

- Les gens réservés ont beaucoup de potentiel, en tant que gestionnaires. Leur recette de la réussite se résume en quatre **stratégies directoriales** : acquérir de la confiance en soi, accorder toute leur attention à leur interlocuteur, s'assurer d'avoir une bonne vue d'ensemble et peaufiner leur capacité à tenir un dialogue et à traiter les conflits.

- Il est important, pour votre carrière, de **faire connaître vos accomplissements**. Toute personne réservée peut y arriver en faisant des communications ciblées. Cinq principes aident à mettre cette exigence en pratique : tenez vos supérieurs et vous-même informés, établissez des contacts avec vos collègues et vos supérieurs, montrez ce qui vous intéresse, assumez vos responsabilités et déléguez des responsabilités à d'autres.

- Bien des gens introvertis préfèrent échanger des courriels, plutôt que de téléphoner, comme **moyen de communication**. Le téléphone est préférable dans certaines circonstances, et il est possible d'éliminer une bonne partie du stress qu'il cause. La distance qui vous sépare de votre interlocuteur peut rendre la communication par courriel plus agréable, et c'est donc à recommander dans certaines situations. Mais le courriel ne devrait pas être utilisé pour éviter le contact direct.

- Les **voyages d'affaires** peuvent nécessiter beaucoup d'énergie, mais on peut les rendre plus agréables par quelques moyens très simples : en passant du temps seul, à l'occasion, en s'accordant du temps à soi avant et après des activités sociales, et en traitant avec assurance avec les gens que l'on rencontre en voyage.

3ᵉ PARTIE

Comment faire sentir votre présence et vous assurer d'être écouté

CHAPITRE 6
Mettre votre courage à l'épreuve :
comment établir et cultiver des relations

Nous, les humains, sommes des êtres sociaux. C'est pourquoi nous continuons toujours de rencontrer nos semblables, non seulement parce qu'il y a quelque chose à discuter ou à faire, mais aussi parce que nous aimons simplement être en contact avec d'autres humains. En principe, du moins.

Anne (âgée de 40 ans) a besoin de ce genre de contacts informels pour son travail. Elle est une flexi-introvertie (l'un des types d'introvertis socialement accessibles présentés au premier chapitre), et elle aime traiter avec les gens. Elle est responsable des relations avec les médias et des relations publiques d'une moyenne entreprise, et elle apprécie de discuter tant avec les journalistes qu'avec ses collègues de tous les services de l'entreprise.

Anne travaille de nombreuses heures, à des tâches variées, et elle est souvent interrompue : les gens se présentent à la porte de son bureau ou le téléphone sonne. Alors, elle aime bien s'étendre pour lire un bon livre, en soirée. Mais ce n'est pas toujours possible : on tient pour acquis qu'étant donné ses fonctions, elle assistera à tous les événements et activités sociales en soirée. Et Anne sait bien qu'il est important d'établir et d'entretenir des relations de manière informelle. Mais elle a l'impression qu'après des soirées comme celles-là, elle a beaucoup parlé pour pas grand-chose. Ce n'est que récemment, à un grand congrès en Suisse, qu'elle s'est trouvée particulièrement épuisée, après une longue journée de conférences et d'échanges avec des gens qu'elle ne connaissait pas. Elle est restée sur les lieux pendant une heure et demie, puis elle est retournée avec lassitude à sa chambre d'hôtel.

CULTIVER LES RELATIONS ET BAVARDER

Anne ne tire pas grand-chose de la plupart des activités sociales, et elle remarque que le bavardage peut facilement l'épuiser. Mais c'est précisément après les «activités obligatoires» que la conversation avec les collègues et les relations d'affaires (ainsi qu'avec les étrangers intéressants) permet des contacts plus détendus que pendant la journée de travail. Cultiver les relations constitue l'essentiel du bavardage, même si la conversation porte sur la nourriture ou les nouveaux bureaux. Les réseaux personnels et professionnels ne se bâtissent pas pendant le programme officiel d'un événement. Les contacts véritables s'établissent au moyen de conversations avec les participants qui sont assis à nos côtés, pendant les pauses café, ou en prenant un verre avec des gens dans un bar, bien après que les salles de conférence se sont vidées.

L'ÉCHANGE INFORMEL DE RENSEIGNEMENTS

Le problème, c'est que, pendant que les extravertis ouvrent une bouteille de vin, après une conférence, qu'ils prennent rendez-vous ensemble pour le petit déjeuner, ou qu'ils tiennent de petites réunions dans les couloirs, les introvertis préfèrent utiliser ce temps «non officiel» pour se reposer après le brouhaha ou pour aller jogger seuls. Dans ce livre, je recommande plusieurs fois de prendre de petites périodes de repos, mais il faut y aller avec parcimonie. Sinon, elles peuvent créer un désavantage personnel, puisque les rencontres informelles permettent d'échanger des opinions, de réfléchir à des décisions et de former des alliances. Ces rencontres ont lieu loin de la salle de conférence et de votre bureau, et permettent de démontrer à quel point vous vous intégrez bien à l'équipe. Et vous aurez ainsi accès à de l'information que vous n'obtiendriez que plus tard, officiellement. Ou pas du tout.

BÂTISSEZ VOS RÉSEAUX À VOTRE MANIÈRE

La capacité de tirer parti des activités sociales, de maîtriser le bavardage et de bâtir des réseaux est tout aussi importante pour les introvertis que pour les extravertis. Mais il existe une différence essentielle entre les deux : les extravertis aiment toutes ces activités et la stimulation qu'elles créent. Par contre, les introvertis trouvent souvent ces situations stressantes et considèrent que les conversations informelles ne sont pas très amusantes (voir plus haut). Tout réseau a besoin d'être cultivé, étendu, et parfois réparé, afin de pouvoir fonctionner correctement. Cela exige de la détermination et un investissement de temps, d'énergie et peut-être d'argent. Mais les introvertis peuvent aussi faire ces investissements avec succès, et prendre plaisir à le faire, pourvu qu'ils puissent gérer leurs réseaux à leur propre manière. Concrètement, cela signifie que le réseautage des introvertis diffère en termes de qualité et d'objectifs. Les introvertis comme Anne ne se soucient guère de la stimulation. Ils sont non seulement parfaitement heureux de manger seuls, mais ils apprécient grandement d'avoir du temps à eux. Et ils n'ont pas besoin d'avoir un large cercle de connaissances non plus : ils sont satisfaits d'un noyau de très bonnes relations. Ce qui importe, pour eux, est la qualité d'une relation : elle doit être durable, et avoir un sens.

LES RELATIONS QU'APPRÉCIENT LES INTROVERTIS
DOIVENT ÊTRE DURABLES ET SIGNIFICATIVES.
LA QUALITÉ L'EMPORTE SUR LA QUANTITÉ.

Il existe un type de réseautage que les introvertis trouvent agréable et qui tient compte de leurs préférences. Il diffère passablement du genre d'établissement de relations que privilégient les extravertis. Ce chapitre porte sur le genre de réseautage que préfèrent les introvertis.

CULTIVER LES RELATIONS : LE RÉSEAUTAGE

Le réseautage englobe tout ce qui concerne les relations : nous vivons tous dans des réseaux de relations, dans nos vies personnelles et professionnelles. Nous connaissons des gens, et des gens nous connaissent. Nous nous rencontrons en famille et en cercles d'amis, dans des clubs de sport ou lorsque nous allons prendre un verre en groupe, avec les membres d'une association professionnelle, un club Rotary, lors d'une réception ou d'un congrès. Le réseautage peut avoir lieu partout où vous n'êtes pas seul : lors d'une célébration familiale, à une fête, au gala de natation de votre fille, ou dans la file d'attente pour passer à la caisse. Bref, toutes les activités de réseautage concernent l'établissement délibéré de relations et le maintien de celles-ci.

Un lieu pour échanger de l'information

Les réseaux ne sont pas des cliques ou des associations de conspirateurs (bien qu'il existe des organisations auxquelles il soit difficile ou impossible d'avoir accès). Essentiellement, ce sont de vastes lieux où l'information peut être échangée. Nous vivons dans un monde qui nous offre beaucoup, et qui exige aussi que nous prenions de nombreuses décisions. C'est pourquoi nous sommes contents d'écouter les gens qui nous facilitent la prise de décisions, par exemple un médecin, un comptable, un graphiste ou une bonne gardienne d'enfants. Cela s'applique aussi aux gens responsables de la dotation en personnel : l'experte en réseautage Monika Scheddin estime que 85 % de toutes les nominations à des postes de gestion se font au moyen de réseautage ; autrement dit, on se tourne vers des gens connus et recommandés.

Alors, ce dont nous parlons ici, ce sont les rencontres de gens avec lesquels vous vous associez et avec lesquels vous restez associé volontairement. Parfois, ces gens sont liés par des intérêts communs, par exemple un groupe représentant certains intérêts ou un club de sport. Mais, bien souvent, les réseaux ne sont pas réglementés de façon officielle, comme un groupe de voisins ou d'amis de collège ou d'université qui se rencontrent une fois par année. Tant les introvertis que les extravertis tirent parti de ces relations plus ou moins proches au moyen de réseaux. Elles peuvent offrir des conseils (l'accès à de l'information, des clients potentiels, du soutien et de la formation, une comparaison avec les collègues, une opinion et de la rétroaction de gens compétents qui pensent de la même façon), ou des plateformes (l'amorce d'une collaboration ou une vitrine pour vos propres réalisations).

Les avantages des réseaux

Les réseaux peuvent aussi alléger vos contraintes en vous libérant d'un projet qui s'éloigne trop de vos principales compétences, par exemple. Ou en vous permettant de participer à un groupe de cogardiennage! Et de nombreux réseaux peuvent améliorer votre qualité de vie en vous offrant des activités partagées de sports et de loisirs, même si elles ont un certain lien avec votre travail : depuis le golf jusqu'à l'escalade, en passant par les voyages de groupe, les soirées relaxantes au coin du feu, et la cuisine collective. Toutes les activités de réseautage ont une chose en commun : elles offrent des avantages mutuels à tous les participants.

> LA QUESTION-CLÉ : COMMENT POUVEZ-VOUS, EN TANT QUE PERSONNE RÉSERVÉE, RÉSEAUTER D'UNE FAÇON QUI VOUS CONVIENNE ET QUI VOUS PERMETTE D'UTILISER VOS FORCES ?

Il existe de nombreux guides bien faits sur le sujet du réseautage. Je vais vous poser une question, ici : comment, en tant que personne réservée, pouvez-vous réseauter en tenant compte de vos forces et de vos besoins ? Autrement dit, d'une façon qui vous convienne ? Je me limite ici aux stratégies qui offrent une réponse à cette question. Vous pouvez dresser votre propre plan, du même coup : vous trouverez des questions après chacune des stratégies, qui vous guideront, étape par étape, vers vos activités personnelles de réseautage.

STRATÉGIE Nᵒ 1 : FIXEZ-VOUS DES BUTS CLAIREMENT DÉFINIS

Vos aptitudes à l'analyse (6e force) vous aideront lorsque vous planifiez en ayant un résultat bien défini à l'esprit, mais il en ira de même si vous réduisez les choses à l'essentiel (substance, 2e force) et faites appel à votre capacité de concentration (3e force).

Deux questions pour vous

1. Quels buts poursuivez-vous en vous adonnant à des activités de réseautage?

Buts personnels
Loisirs (y compris les sports)
Allègement du fardeau (p. ex. soutien)
Développement personnel
Partage d'expériences
Nouveaux stimuli

Buts professionnels
Contacts avec des collègues
Partage de renseignements
Aide, formation supplémentaire
Comparaison avec les autres
Nouvelles perspectives de carrière

2. Alors, quels réseaux vous intéressent?
Formulez vos réponses avec le plus de précision possible.

Réseaux privés
(p. ex. associations, initiatives, amis)

Réseaux professionnels
(p. ex. organisations, clubs, collègues les plus proches)

_____   _____
_____   _____
_____   _____
_____   _____

Maintenant, essayez de classer vos réponses ; numérotez les réseaux que vous avez énumérés dans chaque colonne, selon leur importance, de sorte que les réseaux personnel et professionnel les plus importants se voient attribuer un 1, le suivant, un 2, etc.

Une fois que vous avez rempli cet encadré avec vos réponses, vous saurez où il vaut la peine d'investir votre énergie et vos autres ressources.

STRATÉGIE N° 2 : DÉFINISSEZ VOS RESSOURCES

En tant que personne réservée, vous savez très bien que les ressources qui comptent pour les réseaux ne sont pas inépuisables. Il est donc d'autant plus important, pour cette deuxième stratégie, que vous preniez une décision consciente concernant le temps et l'énergie que vous voulez consacrer à des éléments particuliers.

Deux autres questions pour vous

1. Lesquelles des ressources suivantes pouvez-vous, et voulez-vous, consacrer à vos activités de réseautage ?

Réseaux personnels
Temps : _____

(par jour/semaine/mois)

Réseaux professionnels
Temps : _____

(par jour/semaine/mois)

Il vous faut du temps pour des éléments comme participer à des événements, cultiver les relations, communiquer et afficher des messages.

Argent : _____

(par jour/semaine/mois)

Argent : _____

(par jour/semaine/mois)

Il vous faut de l'argent pour des éléments comme les frais d'abonnement, les frais de déplacement, l'hébergement et les repas, et les frais de participation.

2. Maintenant, répartissez le tout avec plus de précision : quelles proportions de votre temps et de votre argent voulez-vous consacrer à chacun des réseaux ? Sous la rubrique « Utilisation », inscrivez à quoi serviront ce temps et cet argent.

À ce moment-ci, vous devriez prendre en compte les priorités que vous avez établies plus tôt, dans la section de la première stratégie (question 2) : plus le réseau est important, plus vous devriez y consacrer de ressources.

Réseaux personnels

Réseau : _____ Utilisation : _____

Temps : _____ Argent : _____

Réseau : _____ Utilisation : _____

Temps : _____ Argent : _____

Réseau : _____ Utilisation : _____

Temps : _____ Argent : _____

Réseau : _____ Utilisation : _____

Temps : _____ Argent : _____

Réseau : _____ Utilisation : _____

Temps : _____ Argent : _____

Réseau : _____ Utilisation : _____

Temps : _____ Argent : _____

Réseaux professionnels

Réseau : _____ Utilisation : _____

Temps : _____ Argent : _____

Réseau : _____ Utilisation : _____

Temps : _____ Argent : _____

Réseau : _____ Utilisation : _____

Temps : _____ Argent : _____

Réseau : _____ Utilisation : _____

Temps : _____ Argent : _____

Réseau : _____ Utilisation : _____

Temps : _____ Argent : _____

Réseau : _____ Utilisation : _____

Temps : _____ Argent : _____

Décidez de l'utilisation de vos ressources

Certains points forts comme la capacité d'analyse et de concentration (3e et 6e forces) ainsi que la substance (2e force) vous permettront de suivre les deux premières stratégies dans vos activités de réseautage, sans faire d'effort démesuré : vous décidez des ressources que vous allez y consacrer, et de la façon dont vous allez le faire. Lorsque vous mettez vos plans en pratique, il est possible que vos priorités se transforment, ou que leur ordre change. Dans les deux cas, c'est tout à fait acceptable : le plus important est d'avoir un plan directeur qui a un sens pour vous et, surtout, qui vous donnera des idées sur les étapes bien définies que vous pourriez intégrer à votre gestion des relations.

Passons maintenant à deux stratégies qui tiennent compte de vos préférences en matière de communications, en tant que personne réservée.

STRATÉGIE N⁰ 3 : PRÉSENTEZ L'UNE À L'AUTRE DES PERSONNES QUE VOUS CONNAISSEZ

Permettez aux autres de s'apporter quelque chose

Je me répète : la plupart des gens réservés préfèrent parler à une ou deux personnes à la fois, plutôt qu'à un groupe. Parmi leurs forces, on compte la prudence (1re force) qui, dans sa forme restrictive, en tant que crainte ou anxiété (1er obstacle), peut faire de l'établissement d'une relation avec des inconnus une expérience désagréable. La troisième stratégie tient compte de cette tendance et est aussi simple qu'elle est efficace : présentez l'une à l'autre des personnes de votre connaissance, si vous croyez qu'elles ont quelque chose à se dire et que ce serait avantageux pour les deux.

Faites-vous connaître en servant d'intermédiaire

Communiquez à l'aide des médias sociaux (nous aborderons ce sujet plus loin dans ce chapitre) et par la conversation lorsque l'un de vos contacts a publié ou réalisé quelque chose d'intéressant (un livre, une entrevue), ou a reçu un honneur, par exemple un prix. C'est ainsi que vous apprendrez à mieux connaître ces personnes. En faisant des allusions positives à d'autres personnes et en établissant activement des liens, vous faites vous-même une impression positive : c'est un bienfait pour la personne dont vous parlez, et vous vous donnez de la visibilité vous-même en tant que personne qui aime attirer l'attention sur les autres et leur apporter des bénéfices. Il s'agit là de réseautage avancé et ingénieux.

À l'aide du tableau de la page 166, planifiez vos cinq premières tentatives de médiation, tant dans vos réseaux personnels que dans vos réseaux professionnels.

Quelles sont les personnes que vous pouvez mettre en contact, les unes avec les autres ?

Réseaux personnels

Qui : _____

Avec qui : _____

Pourquoi : _____

Qui : _____

Avec qui : _____

Pourquoi : _____

Qui : _____

Avec qui : _____

Pourquoi : _____

Qui : _____

Avec qui : _____

Pourquoi : _____

Qui : _____

Avec qui : _____

Pourquoi : _____

Réseaux professionnels

Qui : _____

Avec qui : _____

Pourquoi : _____

Qui : _____

Avec qui : _____

Pourquoi : _____

Qui : _____

Avec qui : _____

Pourquoi : _____

Qui : _____

Avec qui : _____

Pourquoi : _____

Qui : _____

Avec qui : _____

Pourquoi : _____

STRATÉGIE N° 4 : DEMANDEZ À VOS CONNAISSANCES DE VOUS PRÉSENTER QUELQU'UN

Cette stratégie complète la précédente et est fondée sur les mêmes principes. Elle est aussi très simple : demandez à des gens que vous connaissez de vous présenter quelqu'un que vous aimeriez rencontrer. À propos, cette stratégie fonctionne très bien auprès des personnes de haut rang qui sont abordées par beaucoup de gens : une connaissance commune peut alors faire des miracles. Vous pouvez contribuer à ce que tout se déroule bien en proposant une bonne façon d'amorcer la conversation. Vous trouverez des suggestions à ce sujet dans la section intitulée « Réseautage : tenir compte des besoins », plus loin dans ce chapitre.

Quelles personnes aimeriez-vous connaître, et à qui pourriez-vous demander de vous les présenter ?

Réseaux personnels	Réseaux professionnels
Qui : _____	Qui : _____
Personne qui fait les présentations : _____	Personne qui fait les présentations : _____
Pourquoi : _____	Pourquoi : _____
Qui : _____	Qui : _____
Personne qui fait les présentations : _____	Personne qui fait les présentations : _____
Pourquoi : _____	Pourquoi : _____
Qui : _____	Qui : _____
Personne qui fait les présentations : _____	Personne qui fait les présentations : _____
Pourquoi : _____	Pourquoi : _____
Qui : _____	Qui : _____
Personne qui fait les présentations : _____	Personne qui fait les présentations : _____
Pourquoi : _____	Pourquoi : _____

STRATÉGIE N° 5 : ÊTRE CONSTANT

Un bon réseautage repose avant tout sur une qualité : la constance. Cela signifie deux choses.

La persévérance dans le fait d'être actif

Premièrement, vous devriez être actif dans un réseau pendant un long moment. Ce n'est qu'ainsi que vous en découvrirez les réels avantages, et que le travail que vous consacrez aux relations portera ses fruits. Il peut facilement vous falloir un ou deux ans (selon la fréquence des rencontres), dans les réseaux qui privilégient les rencontres en personne, plutôt que les rencontres virtuelles, avant que votre statut de membre ne soit bien établi et que vous n'ayez noué des relations durables, et ce, à condition que vous jouiez un rôle actif. Les membres non actifs n'établissent pas de contacts. Alors, poursuivez vos efforts avec patience : votre persévérance (8e force) vous y aidera.

La gestion de réseau

Deuxièmement, la constance signifie d'établir vos relations avec patience, puis de les cultiver, c'est-à-dire de communiquer avec les gens que vous trouvez intéressants dans un réseau en particulier. Et cela exige que vous teniez le compte des événements auxquels vous assistez : qui avez-vous rencontré ? Qu'avez-vous trouvé intéressant ? Quels renseignements sur la personne que vous avez rencontrée voulez-vous garder ?

Beaucoup de réseauteurs expérimentés utilisent l'ordinateur pour recueillir ces renseignements : cela fonctionne dans les réseaux numériques tels que LinkedIn, bien qu'on ne puisse dresser une liste des gens qui y sont actifs qu'avec des données de contact. Il existe de nombreux logiciels et applications de gestion des relations d'affaires que vous pouvez utiliser, et certains logiciels de courrier électronique offrent des options de gestion des contacts. Bref : essayez l'option qui vous attire le plus.

Alors, vous voyez, le travail administratif nécessaire n'est pas sans fin. Votre capital important, pour cette cinquième stratégie, est votre propre pensée analytique (6e force) et la persévérance, dont nous avons déjà parlé.

Davantage de questions pour vous

1. Expliquez avec quelle précision vous avez consigné les contacts que vous voulez établir et la façon dont vous avez cultivé ces relations jusqu'à maintenant.
2. De quoi avez-vous besoin pour cultiver ces liens encore mieux ?
3. Comment pouvez-vous obtenir l'aide nécessaire ?
4. Combien de temps vous faudra-t-il pour mener à bien les changements nécessaires ?

Nous sommes parvenus à la fin de cette section. Vous disposez maintenant de votre premier plan personnel, qui vous aidera à réseauter de façon positive et «en toute réserve». Ne tardez pas à le mettre en pratique!

RÉSEAUTAGE : LES POINTS FORTS DES PERSONNES RÉSERVÉES

Stratégies de réseautage pour personnes réservées

Les gens réservés ont des forces particulières qui rendent les relations avec d'autres faciles et agréables. Ces forces constituent une sorte de capital dans les rapports sociaux et, en même temps, le meilleur point de départ pour mettre en pratique les stratégies relatives au réseautage qui conviennent le mieux aux gens réservés. En fait, nous excellons tous dans les domaines que nous trouvons faciles. Alors, jetons un coup d'œil sur les domaines dans lesquels les gens réservés démontrent habituellement des compétences, lorsqu'il s'agit de relations avec les autres.

4e force : l'écoute

Soyez tout ouïe

Être capable d'écouter : c'est là une des grandes forces des gens réservés, dans la conversation. Les gens réservés dépendent moins que les extravertis des réponses et des confirmations de leurs interlocuteurs. Mais les introvertis aiment recueillir des impressions et de l'information, et le meilleur moyen d'y parvenir est d'être tout ouïe. Le fait qu'une personne sache écouter est merveilleux pour son interlocuteur : elle lui prête attention, et il y a donc un espace où il peut s'exprimer sans contrainte. Ce qu'il dit est écouté. Les extravertis aiment mettre de l'ordre dans leurs pensées tout en parlant (alors que les introvertis préfèrent émettre les idées auxquelles ils ont longuement réfléchi et qu'ils peuvent formuler avec précision — peut-être). Cette attention leur fait autant de bien qu'à un autre introverti avec lequel ils auraient une conversation, et qui peut (pour une fois) s'exprimer sans ressentir de pression.

L'écoute véritable augmente la présence

L'écoute se présente selon différentes qualités. Elle est à son mieux lorsque l'écoutant prête l'oreille de deux façons. Premièrement, la personne qui écoute est dénuée de préjugés et curieuse de ce que dit son interlocuteur. Autrement dit elle ne se permet pas d'être contrainte par des stéréotypes ou des hypothèses préalables, et elle ne s'ennuie pas. Deuxièmement, l'écoutant a l'esprit entièrement libre, tout en prêtant l'oreille, c'est-à-dire qu'il n'essaie pas de formuler sa prochaine intervention pendant que l'autre personne parle. Cette attention est plus évidente lorsqu'on écoute en établissant un bon contact visuel délibéré. Mais on ne peut simuler ce genre d'attention lorsqu'on écoute pendant longtemps : l'écoute véritable confère une présence et une intensité qui ne se résument pas à une stratégie relative au langage corporel. Apprenez à apprécier le fait que vous ayez cette force : beaucoup d'extravertis doivent déployer de grands efforts pour l'acquérir.

Anne, que vous avez connue au début de ce chapitre, ne savait pas vraiment qu'elle possédait cette capacité d'écoute jusqu'à maintenant. Entre-temps, elle est passée maître dans l'art d'incorporer ce qu'elle a entendu à ses propres propos. Elle y parvient en faisant le suivi de certains points avec intérêt, ou en prenant en compte activement les questions auxquelles il est fait allusion. Anne a découvert qu'en faisant cela, ses conversations sont beaucoup plus intenses, de même que ses relations !

Voici quelques exemples qui vous aideront à utiliser ce que vous entendez en vue d'établir des relations.

De l'écoute au véritable échange de vues : exemples de phrases à utiliser dans l'écoute active

- « Vous venez de dire que (vous avez déjà organisé une conférence à Leeds, avec cette entreprise). Comment cela s'est-il passé ? »
- « Je vais repenser complètement à (notre conférence à Leeds), maintenant que vous (vous êtes montré convaincant en faveur de Manchester). »
- « Je reviens à ce que vous venez de dire : ("Est-ce si important d'entreprendre la planification un an à l'avance ?") »

5ᵉ force : le calme

On dit que le calme est une source de pouvoir. Cela s'applique aussi au bavardage. Les gens réservés sont facilement bouleversés, ou du moins rendus mal à l'aise, par l'agitation et les environnements bruyants, ou par les gens énervés. Le revers de cette médaille est que ce sont eux qui apportent le calme dans une rencontre, ce qui crée l'atmosphère idéale pour un échange de vues détendu. Les introvertis calmes sont en mesure de faire de la place pour l'écoute, la réflexion et la conversation, en ralentissant le processus de communication.

Voir le calme comme quelque chose de positif

Pour parvenir à ce que nous venons d'aborder, il est essentiel que vous, en tant que personne réservée, voyiez le calme comme une force : si vous croyez vraiment que ce qu'il faut, c'est parler rapidement, avoir une approche très dynamique des sujets de conversation ou faire un tas de gestes (en passant, tous les extravertis types agissent de cette façon), il vous sera difficile de considérer votre propre calme comme quelque chose de particulièrement positif.

Je vais vous donner des preuves pour vous convaincre du fait qu'une approche calme du bavardage est positive.

Garder son calme est un signe de confiance en soi et de sang-froid

En vous gardant du temps pour parler et pour présenter vos arguments, vous démontrez que vous vous laissez une marge de manœuvre. Vous ne vous infligez pas de stress. Les experts des signaux conviennent que les gens calmes font montre de confiance en soi, de sang-froid et d'un statut élevé, dans l'ensemble.

Paraître résolu

Pour produire ces effets majeurs, il est essentiel que, dans tout ce que vous faites ou dites lorsque vous discutez avec d'autres personnes, vous sembliez résolu et ferme. C'est une façon naturelle de se comporter, compte tenu du calme intérieur véritable, et cela signifie que tous vos mouvements, qu'il s'agisse des yeux, des mains ou des pieds, ont un début et une fin et qu'ils semblent motivés. Vous vous exprimez en phrases complètes et donnez l'impression que vous savez exactement ce que vous voulez dire.

Le fait d'être calme aide l'interlocuteur à se détendre

Les extravertis trouvent plus facile d'attirer l'attention lorsqu'ils sont en train de parler. Mais, dans la plupart des cas, ils ne sont pas en majorité. (Si vous voulez rencontrer une grande majorité d'extravertis, je vous recommande les événements liés à la télé.) En général, vous trouverez de 30 % à 50 % de gens ayant une tendance à l'introversion lors d'activités sociales. Ils trouvent que parler à d'autres introvertis est extrêmement relaxant : ils parlent à des gens qui ne font pas de pressions dans les échanges d'idées, et sont même prêts à attendre lorsque leur interlocuteur fait une pause pour réfléchir ou qu'il cherche un mot. Ne pensez-vous pas de même ? Dans les cultures occidentales, les pauses sont probablement les ressources les plus sous-estimées, en matière de conversation.

Rendre les situations moins stressantes

Beaucoup de gens trouvent le bavardage stressant. Ils se sentent légèrement mal à l'aise dans des activités sociales, avec des personnes qu'ils ne connaissent pas. D'autres introvertis en particulier, mais aussi beaucoup d'extravertis, sont ravis lorsque quelqu'un comme vous est capable de tenir une conversation avec calme et constance, et même en faisant quelques pauses. Le côté calme et agréable des introvertis peut apporter de la détente et de la sérénité dans l'échange d'idées, et rendre la situation moins stressante pour toutes les personnes en cause.

C'est pourquoi les extravertis tirent aussi parti du calme de la conversation : cela leur donne une tribune pour paraître, s'exprimer et faire leur numéro. Il est important, lorsque vous faites affaire avec des extravertis, de bien leur faire comprendre que vous les écoutez, par des mouvements des yeux et de la bouche, en hochant la tête et en émettant de petits bruits (des « hum, hum », des mots-chevilles comme au téléphone) et en posant des questions soigneusement ciblées. Assurez-vous aussi de maintenir le contact visuel.

Cette troisième «prime au calme» vous procure un avantage personnel. S'il vous en coûte beaucoup, en tant que personne réservée, de communiquer avec d'autres lors d'activités sociales, c'est un avantage concret que de pouvoir économiser votre précieuse énergie.

Concentrer son énergie

Le calme intérieur peut vous y aider. Vous pouvez atténuer la hâte et le stress lorsque vous parlez avec d'autres personnes. Vous pouvez ainsi tenir une conversation beaucoup plus longtemps que lorsque vous agissez sans but, avec frénésie ou sous la contrainte. Et vous êtes aussi mieux placé pour diriger votre énergie vers la 3e force, la concentration, à l'égard des situations et des gens que vous avez déterminés (avec le plus grand calme) comme étant intéressants ou précieux.

Comment tirer le meilleur parti de votre calme intérieur dans des activités sociales

Assurez-vous d'être vraiment calme avant une activité sociale : la façon dont nous sommes perçus repose sur ce que nous ressentons, et non sur l'effet que nous voulons produire.

Stratégies sur le plan physique
- Respirez lentement et profondément pour vous préparer, ainsi que pendant l'activité. Accordez-vous, et accordez à votre interlocuteur, une pause pour respirer profondément lorsque vous venez de dire quelque chose d'important.
- Utilisez le rythme calme de votre respiration pour que votre voix soit également calme. Cela transparaîtra dans deux domaines en particulier : premièrement, votre débit sera approprié (pas trop rapide, mais suffisamment dynamique), et deuxièmement, vous aurez une tessiture grave, dans votre propre palette vocale. Une voix grave produit une atmosphère de confiance et de détente.

- Debout ou assis, tenez-vous droit, de façon à sentir une légère tension agréable dans votre colonne vertébrale.
- Détendez consciemment vos épaules, vos coudes et vos genoux.
- Puisez dans votre calme intérieur pour maintenir un contact visuel : regardez votre interlocuteur d'une manière amicale et posée. Cela vous détendra tous les deux si vous ne fixez pas un unique point dans son visage, mais que vous promenez votre regard entre ses sourcils et le bout de son nez.

Première stratégie sur le plan mental : c'est votre choix !
Gardez à l'esprit que vous prenez une décision consciente et qu'il s'agit donc d'un choix : vous décidez de prendre part à une activité sociale. Vous décidez à qui vous allez parler et pendant combien de temps. Vous décidez aussi du moment où vous quitterez les lieux. Personne ne comptera le nombre de relations que vous établissez, ou n'observera ce que vous faites au cours de la soirée.

Le fait de penser ainsi vous permettra d'agir avec confiance, et non comme une personne qui a été forcée de faire quelque chose contre son gré. Cette attitude mentale vous procurera une sensation de calme libérateur, même avant l'activité : vous êtes le responsable de ce qui va se passer et des objectifs que vous voulez atteindre. En agissant ainsi, vous signalez également aux autres que vous savez exactement ce que vous faites. Cela aura un effet positif sur vos relations avec les autres et sur votre estime de soi.

Deuxième stratégie sur le plan mental : vous (et seulement vous) pouvez fixer vos objectifs
Fixez-vous des objectifs précis et poursuivez-les pendant l'activité. Cela fournira un certain cadre à ce que vous faites et fera en sorte que votre calme dénote de la confiance en soi et un statut élevé.

Mais il y a une condition rattachée à cela : les objectifs doivent être attrayants et atteignables. Alors, ne vous accablez pas avec des objectifs trop stressants, qui ne semblent même pas valoir la peine qu'on s'en préoccupe.

Par exemple, voici les objectifs qu'Anne s'est fixés lors d'activités sociales types reliées à sa vie professionnelle :

- entamer la conversation avec trois inconnus qui m'ont fait bonne impression ;
- trouver un expert dans ce sur quoi je travaille en ce moment, et l'interroger sur deux points qui me posent problème ;
- passer au moins deux heures à cette activité et en profiter pour observer les gens autant que je le veux, pendant cette période ;
- mettre fin poliment à une conversation si cela devient trop stressant.

Vous le constatez donc : on peut tirer beaucoup de force du fait d'être calme. Mais vous bénéficiez d'autres avantages, en tant que personne calme qui bavarde, et dans un contexte social, en général. Voici la prochaine force que vous pourriez bien avoir en commun avec les autres personnes réservées.

6ᵉ force : la pensée analytique

Faites une évaluation en profondeur des conversations

Les gens réservés consacrent beaucoup de temps à comparer ce qu'ils observent à ce qui se passe dans leur esprit. Cela les habitue très tôt à filtrer ce qu'ils voient et entendent et à l'examiner, grâce à la pensée analytique, qui est l'apanage de bien des gens réservés. Ou bien, pour être plus précise, de ceux dont le « cerveau gauche » est manifestement prédominant, comme nous l'avons vu au chapitre 2. C'est important, non seulement pour bien suivre l'évolution des propos, mais également pour que le bavardage soit agréable : si vous pouvez discerner facilement les éléments essentiels et les modèles dans la conversation, vous trouverez aussi facile d'approfondir la conversation, par rapport au stade qui est atteint et à l'engagement de votre interlocuteur, ainsi que d'évaluer l'information délibérément, dans un certain nombre de domaines.

En principe, toute conversation informelle que vous entamez lors d'activités sociales traverse trois phases qui forment ensemble une sorte d'architecture. Si vous connaissez chacune des phases, votre pensée analytique vous permettra de les aborder de façon appropriée.

Analyse du bavardage (1) : les phases et leur fonction

Le bavardage ne vous engage à rien. Il est clair, dès le départ, si vous et votre interlocuteur êtes ou n'êtes pas intéressés à poursuivre la conversation. Premièrement, cela dépend de fait qu'il y a, ou non, des atomes crochus entre vous deux. Si ce n'est pas le cas, ce n'est pas grave : il y a beaucoup de gens avec qui vous pouvez échanger, lors d'une activité sociale. Deuxièmement, la poursuite de la conversation dépend du fait que vous avez, ou non, quelque chose à vous dire. Vous pouvez commencer de la bonne façon en gardant à l'œil les éléments essentiels.

Les questions qui suivent vous aideront à partir du bon pied.

Questions pour commencer

Qu'avons-nous en commun, dans cette situation ? – Nous buvons tous les deux le même vin rouge. Qu'en pense mon interlocuteur ?
Qu'est-ce que cette activité a d'intéressant ? – Il s'agit du premier enterrement de vie de garçon auquel j'assiste : c'est un collègue qui se marie. Comment mon interlocuteur l'a-t-il connu ?
Qu'est-ce que je voudrais savoir ? – Ce voyage à Singapour est emballant, mais quelle est la meilleure façon de me rendre de l'hôtel où a lieu le congrès à l'aéroport, demain matin ?

Ne commencez pas par un cliché

« Eh bien, comment allez-vous ? » est probablement l'entrée en matière la plus courante entre personnes qui se connaissent déjà. Si quelqu'un débute par cette question, évitez les lieux communs (« Ça va. » « Pas trop mal ! »). Répondez plutôt de façon positive et précise ; dans le meilleur des cas, ce que vous dites mènera à un échange agréable. Alors, dites quelque chose comme : « Encore mieux depuis que vous êtes là ! », ou simplement : « Pierre, ça fait une éternité qu'on s'est vus ! »

Le corps de la conversation

Dans le corps de la conversation, vous devez continuer à faire évoluer la situation de manière que ce soit agréable et gratifiant pour vous et pour votre interlocuteur. Cela ne signifie pas que vous devez être le seul à parler. Écoutez (c'est votre force suivante : voir plus loin), ou posez des questions ouvertes en montrant des signes d'intérêt ; autrement dit, des questions auxquelles on ne répond pas par « oui » ou par « non » et qui débutent habituellement par des mots comme : « qui », « quoi », « où », « pourquoi » et « quand ».

Exemples de questions ouvertes : « Quelle est la meilleure façon de… ? » « Qu'arrivera-t-il lorsque… ? » « Où puis-je trouver… ? »

Les questions bien pensées apportent de la vie à la conversation. Et si vous utilisez aussi un modèle simple pour filtrer ce que dit votre interlocuteur, vous trouverez facile de poursuivre la conversation, si vous le désirez.

Demandez-vous ce que vous pouvez puiser dans les remarques de votre interlocuteur pour faire évoluer la situation ou pour changer de sujet.

Vous pouvez changer de sujet avec des phrases comme : « À propos de X… » ou « Comme vous venez de le dire, X… »

Au cours de la conversation, faites part de vos propres commentaires ou impressions : vous menez une conversation, pas une interview.

Mettre fin à la conversation

Une conversation informelle peut être longue ou brève. Le plus important est que vous pouvez y mettre fin en tout temps, sans donner de raison particulière. C'est un grand soulagement pour bien des gens réservés : cela vous laisse une certaine marge de manœuvre si vous trouvez que la situation, ou votre interlocuteur, exige trop de vous.

Il est facile de mettre fin au bavardage. Vous n'avez qu'à dire : « Merci pour cette agréable conversation. Nous nous reverrons plus tard !» Ou : «J'espère que nous pourrons poursuivre cette conversation bientôt.» Le côté informel et désinvolte du bavardage est tout à votre avantage dans cette situation : vous pouvez y mettre fin quand vous le voulez, sans fournir d'excuses ou de raisons. Même quelque chose comme : «Oh, je viens d'apercevoir un vieil ami que j'aimerais saluer !» est tout à fait légitime, car tout le monde sait que les activités sociales servent à entretenir les relations.

Si vous désirez donner suite aux relations que vous venez d'établir, vous pourriez alors suggérer d'échanger vos cartes professionnelles. J'aime utiliser les cartes, car cela signifie que je peux prendre un tas de notes par la suite (dans ma chambre d'hôtel, par exemple). Cela libère ma mémoire de cette tâche, et mène à une étape où les introvertis peuvent être en position de force : le suivi.

Le suivi

Beaucoup de gens réservés excellent dans la communication écrite (voir la 9ᵉ force). Cela leur procure un net avantage dans le suivi écrit des activités de réseautage. Par exemple, je peux offrir à mon interlocuteur d'établir un contact dans le réseau social LinkedIn (voir ci-après) ou de lui envoyer un article de journal sur l'un des sujets abordés. Je peux saisir cette occasion pour le remercier de l'agréable conversation que nous avons eue et, si c'est possible, faire allusion à un détail de cette conversation : «Je me souviens de ce que vous aviez dit, au congrès de Singapour. J'ai finalement réussi à trouver le bordeaux que vous m'aviez recommandé auprès de mon négociant en vins. Merci encore ! Tel que convenu, j'annexe… à ce courriel.»

Vous trouverez ci-après d'autres trucs pour vous aider à faire le suivi.

Trois trucs pour faire votre suivi

1. Envoyez une lettre, plutôt qu'un courriel ; les courriels sont acceptables, mais les lettres et les cartes se font de plus en plus rares et produisent l'effet désiré : les gens les remarquent.

2. Écrivez quelque chose qui apporte des avantages. La personne concernée devrait sentir qu'elle a reçu une agréable surprise dont elle peut faire bon usage : un lien, un article, un tuyau à propos de l'endroit où elle peut trouver quelque chose dont elle a besoin, etc.

Si vous décidez d'envoyer un courriel, essayez d'éviter les pièces jointes qui contiennent beaucoup de données : cela aboutit souvent dans le dossier du courrier indésirable. Envoyez plutôt un lien ou, si votre message n'est pas trop long, copiez ces données dans votre courriel.

3. Écrivez le plus tôt que vous le pouvez. La personne concernée se souviendra probablement très bien de vous jusqu'à quatre jours après l'événement.

Analyse du bavardage (2) : la meilleure façon de trouver des sujets qui conviennent (à vous aussi !)

Les introvertis ont besoin de substance, de contenu

Vous venez de voir la manière de trouver des sujets au début, ou au milieu de menus propos, ainsi que la façon de contrôler une conversation. C'est souvent trop peu pour des gens réservés comme Anne : ils aiment avoir beaucoup plus de substance et de contenu dans leurs échanges verbaux, même si l'occasion est informelle et qu'il s'agit essentiellement d'établir des relations. Ils aiment qu'un contact social leur fournisse l'occasion de réfléchir au fait que leur interlocuteur les intéresse ou non, ou que cette personne a, ou non, une importance particulière pour eux, ou qu'une occasion emballante découle d'un échange d'idées sur un sujet particulier.

Du bavardage à une conversation importante

Mais le véritable défi réside dans ce que les introvertis préfèrent : la profondeur. De nombreux introvertis aiment particulièrement le bavardage lorsqu'ils parviennent à en faire une discussion sérieuse, autrement dit une discussion sur quelque chose d'important qui les intéresse et qui mène à quelque chose de différent. La situation est idéale lorsque le calme est aussi de la partie, de sorte qu'il y ait du temps et de l'espace pour parler des choses en profondeur, avec des pauses entre les différentes étapes, dans une atmosphère sereine. Alors, discuter d'un sujet intéressant avec un interlocuteur agréable peut même signifier que l'introverti *tire* de l'énergie de la conversation, plutôt que d'en *dépenser*, ce qui peut aussi avoir pour conséquences d'apporter du plaisir et une profonde satisfaction.

Les « conversations importantes » sont traditionnellement associées à la notion de discussion à cœur ouvert, ce que l'on considérait comme une aptitude sociale essentielle, autrefois. Aujourd'hui, à l'ère du textage, des affichages sur Facebook et des gazouillis, beaucoup de gens ont de la difficulté à s'absorber dans un sujet qui a de la substance, sans parler d'entamer la conversation à cet égard. Mais il est possible d'apprendre à mener une conversation qui en vaut la peine. Les gens qui sont portés vers l'essentiel (les gens qui disposent de la 2e force) ne trouvent généralement pas cela difficile. Et si vous faites l'effort de procéder à un réel échange d'idées, vous découvrirez bientôt les effets positifs que cela apporte à votre relation avec votre interlocuteur.

Le choix avisé des sujets

Comme nous l'avons vu, il est plus simple au début d'une conversation de choisir un sujet qui vous rapproche, vous et votre interlocuteur, au moyen d'une expérience que vous avez *vécue ensemble* : votre dernière rencontre, votre dernière communication, ou simplement la joie de vous revoir. Et puis, quelque chose qui se produit *sur le moment* peut aussi vous rapprocher : le fait de connaître l'hôtesse, le trajet entre le lieu de réunion et l'aéroport, le choix de mets au buffet ou le programme de la soirée.

Trucs pour choisir un sujet

Inutile d'être philosophe pour trouver une façon d'en arriver à quelque chose de plus substantiel. Creusez-vous les méninges et dressez une liste de sujets qui répondent à une condition : ils vous intéressent vraiment. Voici une liste de suggestions que vous pouvez étendre à l'infini.

Sujets ayant du contenu

- Les situations que vous avez vécues (peut-être ensemble) et dans lesquelles quelqu'un ou quelque chose vous a impressionné : le discours d'ouverture (lors d'un congrès), le conférencier célèbre, âgé de 87 ans, qui a complètement conquis la salle.
- Des sujets qui vous intéressent et qui, d'après vous, pourraient intéresser aussi votre interlocuteur. Par exemple : l'immeuble où votre congrès de TI a lieu a déjà été une chocolaterie. Vous vous demandez ce qu'il y a de commun entre les deux.
- Les sujets sur lesquels vous aimeriez en apprendre davantage, surtout si votre interlocuteur est un connaisseur en la matière. Exemple, lors d'une réunion de réseautage : demandez à votre interlocutrice si, dans son entreprise, il existe un quota pour l'embauche de femmes. Qu'en pense-t-elle ?
- Des questions qui vous trottent dans la tête en raison de certaines impressions que vous a laissées le milieu où vous êtes : quel effet produit la musique de fond ?

RÉSEAUTAGE : TENIR COMPTE DES BESOINS

Vous avez franchi la première étape, au terme de la dernière section : vous connaissez le genre d'échange de vues qui vous convient. Vous pouvez maintenant rechercher résolument des gens et des situations qui enrichiront votre vie.

Quelles sont les forces qui vous aideront à parler à des
gens que vous ne connaissez pas ?

❏ Je trouve relativement facile de transformer le bavardage
en conversation importante (2e force).

❏ Je suis un bon écoutant et je peux utiliser ce que j'entends
pour faire évoluer la conversation (4e force).

❏ Il m'est facile de trouver le calme intérieur (5e force).

❏ J'ai un répertoire de sujets qui se sont révélés utiles
pour faire progresser la situation (6e force).

❏ Je saisis rapidement ce qui est important pour les autres
(10e force).

❏ J'ai de bonnes aptitudes pour réagir aux gens (10e force).

J'ai d'autres forces en ce qui concerne le bavardage, notamment :

_____

_____

_____

_____

_____

Il n'est pas toujours possible d'éviter les situations bruyantes

Vous devez aussi accepter le fait que vous ayez parfois à parler à
des gens dans des conditions qui ne sont pas idéales. Une soirée
où la musique est forte. La fête annuelle de Noël au bureau, avec
tout le stress qu'elle comporte. Ou un véritable cauchemar pour un
tas d'introvertis, y compris moi-même : la fête pour faire connaissance, sous toutes ses formes, et qui est destinée à l'établissement
du plus grand nombre de contacts possible.

En des occasions comme celles-là, vous pouvez limiter la
quantité d'énergie que vous dépensez, dans une mesure raisonnable, et vous assurer de vous sentir aussi à l'aise que possible.
C'est pourquoi il importe de connaître exactement les obstacles
que vous avez à surmonter. Examinons-les de plus près.

2e obstacle : le trop grand souci du détail

Beaucoup de gens introvertis trouvent le contexte de bavardage difficile parce que cela augmente leur tendance à accorder trop d'attention aux détails. Les introvertis qui sont portés à voir chacun des arbres, plutôt que la forêt et ses sentiers, peuvent facilement s'égarer dans des activités sociales «chaotiques», et ils sont aussi particulièrement enclins à souffrir d'une trop grande stimulation (3e obstacle).

Il est donc d'autant plus important de structurer soigneusement toute situation donnée. Grâce aux simples stratégies qui suivent, il vous sera plus facile d'évoluer avec confiance au sein d'un groupe.

Le bavardage : les stratégies qui accroissent la clarté

• Pensez «qualité», plutôt que «quantité». Les gens réservés ont une façon particulière de nouer des liens étroits avec des gens de leur choix. Dans ce cas précis, l'accent est placé sur «de leur choix». Au lieu d'établir des relations avec beaucoup de gens, les introvertis préfèrent les contacts intenses et réguliers avec un petit nombre de personnes. Et ils investissent dans ces relations. De nombreux introvertis trouvent la conversation en tête à tête plus agréable que l'échange d'idées en groupe. Ils se sentent plus détendus avec une seule autre personne, et le nombre d'idées échangées demeure dans des limites raisonnables. Les sujets de conversation se gèrent mieux à l'intérieur de ces limites, et il est plus facile de prendre en compte le point de vue de l'autre personne, simplement parce qu'il n'y a qu'un seul interlocuteur. Donc, adressez-vous à une seule personne, si vous le pouvez. Si vous parlez à trois ou quatre personnes, l'une après l'autre, au cours d'une soirée, c'est un bon résultat si les conversations sont agréables («profondes» plutôt qu'«étendues», passant du bavardage à la discussion sérieuse), et il est probable que cela mènera davantage à l'établissement de relations à plus long terme que la stratégie d'établissement de contacts «étendue» typique des extravertis.

- Situez-vous dans la pièce. Au début de l'activité, recherchez les divers *points d'évasion* vers lesquels vous pouvez vous diriger, au besoin. Cela donne une structure gérable à l'espace et vous protège contre le 3e obstacle : la trop grande stimulation. Trouvez un siège d'où vous pouvez avoir une bonne vue de toute la salle. Si vous voulez parler à des gens que vous ne connaissez pas, il serait logique de vous placer près de la porte.
- Trouvez des personnes à qui parler. Recherchez des gens qui semblent amicaux (qui sont seuls ou en petits groupes). Vous pouvez aussi prendre des dispositions avec certaines personnes avant l'activité ; par exemple, après un échange de courriels qui vous donnerait envie de les rencontrer, ou si vous voulez leur parler de quelque chose de précis.
- Fixez-vous des objectifs personnels. Ayez quelque chose de précis à l'esprit pour cette occasion, quelque chose qui vous convienne et qui convienne à la situation : prévoyez entamer la conversation avec une personne en particulier (p. ex. pour vous faire présenter, demandez à une connaissance commune). Ou bien, déterminez que vous allez rester aussi longtemps que vous serez à l'aise, puis, partez, si le cœur vous en dit, ou bien faites une pause.

3e obstacle : la trop grande stimulation

Trop c'est trop, et peut même devenir nuisible. Cela s'applique aussi aux bonnes choses de la vie : le chocolat, le vin rouge et les gens. Pour les introvertis, « trop » signifie souvent « trop à assimiler ». Et c'est précisément ce qu'est la trop grande stimulation : une situation qui épuise l'énergie parce qu'il y a trop à assimiler. C'est exténuant et cela anéantit le plaisir de rencontrer des gens. Et cela rend la situation stressante. Il n'est donc pas rare que beaucoup d'introvertis rationnent soigneusement les activités sociales et les sélectionnent de façon à ne pas s'épuiser. C'est aussi tout à fait légitime : personne n'est obligé d'être avec d'autres, tout le temps. Mais je parle ici de la situation en elle-même : comment éviter d'avoir à dépenser trop d'énergie trop rapidement ?

Le bavardage : stratégies pour contrer la trop grande stimulation

- Assurez-vous de vous sentir à l'aise dans toutes les activités sociales. Ne vous infligez pas de pression, et interrompez vos discussions, de temps à autre. Il y a deux choses importantes, ici : vous devriez pouvoir être seul et vous détendre. Plusieurs possibilités s'offrent à vous : aller aux toilettes, observer les tableaux sur les murs, vous asseoir tranquillement avec un bon verre et regarder calmement les gens qui vous entourent. Prenez plusieurs grandes respirations entre les conversations : cela vous calmera, vous oxygénera et aura l'effet d'une mini-pause. Et vos contacts vous sembleront d'autant plus intéressants que vous aurez eu l'occasion de recharger vos batteries. C'est là un bon début !

- Évitez de faire plusieurs choses à la fois. Cela réduit le nombre de stimuli auxquels votre cerveau est soumis et vous permet de mieux vous concentrer sur ce que vous faites. Cela augmentera d'autant plus l'effet que vous produirez. Alors, concentrez-vous sur la (ou les) personne(s) à qui vous parlez ou avec laquelle (lesquelles) vous faites une activité. Une fois que vous avez terminé cet échange d'idées, songez à votre objectif suivant, ou commencez par vous servir au buffet.

- Sachez atténuer le bruit. L'excès de bruit épuise l'énergie des gens réservés, et c'est une cause importante de trop grande stimulation. J'ai remarqué que j'avais tendance, tout comme d'autres personnes réservées, à considérer le bruit comme une force naturelle contre laquelle nous ne pouvons rien. Les extravertis qui nous entourent n'ont pas autant de problèmes avec le volume, alors il semble que ce soit uniquement « notre problème ». Mais, ne vous en faites pas : il existe souvent une solution, si vous constatez que votre environnement est trop bruyant, lors d'une activité sociale. S'il n'y a rien que vous puissiez faire concernant le niveau de bruit (p. ex. l'atterrissage d'un avion pendant une conversation à l'aéroport, ou le lundi du Carnaval, à Cologne), et que vous ne pouvez pas utiliser de bouchons d'oreilles, vous pouvez atténuer la stimulation : concentrez-vous bien sur votre interlocuteur. Cela atténuera le bruit de fond et vous permettra de mieux entendre les propos de l'autre personne. Il existe bien d'autres situations dans lesquelles vous pouvez atténuer le bruit. La réceptionniste extravertie au centre sportif se ferait probablement un plaisir de baisser le volume de la musique sur laquelle vous vous entraînez, et qui, pour le moment, vous semble un cauchemar et vous empêche de parler à qui que ce soit. Mais vous devez d'abord le lui demander. Adoptez cette marche à suivre lorsque vous le faites : premièrement, énoncez objectivement le problème, deuxièmement, ce qui le cause, et troisièmement, ce que vous aimeriez qu'il se produise. Alors, dites à la réceptionniste : « La musique, dans la salle de musculation, est vraiment forte, aujourd'hui. On peut mieux se parler quand le volume est normal. Pourriez-vous baisser un peu le volume ? »

4ᵉ obstacle : la passivité

Si vous observez attentivement autour de vous, lors d'activités sociales, vous verrez partout des introvertis qui semblent affairés : ils vont se chercher quelque chose à boire, ou prennent leurs messages sur leur téléphone intelligent. Ou bien, ils consultent leurs notes, ou regardent leur montre. Cela ne se présente pas bien en ce qui concerne l'établissement de relations…

Prenez l'initiative

Les occasions d'établir des contacts semblent habituellement non structurées. Les gens réservés sont souvent incertains de ce qu'ils peuvent et doivent faire pour entrer en relation avec d'autres personnes dans la salle. Cela peut facilement mener au doute et au manque de confiance en soi. Alors, ces gens réservés ne se sentent pas à l'aise avec eux-mêmes. Au début, ils sont grandement tentés de ne rien faire du tout et de rester à l'écart, au lieu d'essayer de faire quelque chose pour établir un contact. Ils se rendent ainsi dépendants des autres : s'ils ne prennent pas l'initiative, les gens réservés seront laissés à eux-mêmes. Mais si les autres prennent l'initiative, les gens passifs doivent réagir à tout ce qui peut survenir, et ils ne pourront choisir les personnes à qui parler ni les sujets de conversation. Dans le pire des cas, ils ne pourront pas gérer l'approche ou, du moins, pas assez rapidement, et ils risquent de rater l'occasion d'établir un contact agréable.

Trucs pour établir un contact

Alors, la conclusion évidente est celle-ci : il vaut mieux prendre l'initiative lorsque vous établissez des contacts. Vous trouverez plus facile de le faire si vous réduisez la complexité, et donc, le degré d'incertitude touchant la communication. Vous pouvez y parvenir en suivant un principe simple : faites quelque chose de précis qui structurera vos activités de réseautage et votre temps. Voici quelques approches intéressantes tirées de l'expérience de personnes réservées.

Comment adopter une approche active dans les activités sociales

1. Acceptez de vous charger de certaines tâches. Ce conseil vaut particulièrement pour les gens qui sont en début de carrière. Aidez à l'inscription ou à l'accueil des participants. Prenez des dispositions concernant le service. Présentez des exposés ou organisez des groupes de travail. Dans le domaine professionnel, cela démontrera aussi que vous êtes préparé à prendre des responsabilités et vous fera voir d'un œil positif.

Exemple : je conseille aux jeunes universitaires avec lesquels je travaille dans des séminaires de coordonner des groupes de travail lors de congrès ou de petites réunions de spécialistes, le plus tôt possible, au cours de leur carrière. Ils apprendront ainsi les règles à partir de l'expérience directe, ils se feront voir comme des personnalités positives dans leur communauté universitaire, et ils trouveront plus facile d'établir des contacts avec les décideurs.

2. Arrivez tôt. Prenez l'initiative de trouver qui d'autre sera présent à l'activité. Il y a différentes façons de procéder. Prenez connaissance du programme du congrès. Vérifiez les porte-noms sur la table d'accueil (si vous arrivez tôt, la plupart d'entre eux seront encore là). Ou bien ayez une conversation amicale, mais intéressée, avec les organisateurs et les autres personnes chargées de l'accueil : qui d'autre attendent-ils ?

---

3. Joignez-vous aux files d'attente. Cela peut sembler étrange, mais a son avantage : une place dans une file d'attente impose une structure. Au comptoir d'accueil, au buffet ou au bar, il y a des personnes à qui vous pouvez parler, devant ou derrière vous. Il y a une raison pour laquelle vous attendez tous et un certain délai avant d'arriver en première place. Tout cela rend la situation agréablement gérable.

4. Faites bon usage des tables. Les tables où vous vous trouvez sont idéales pour établir des relations : elles permettent d'espacer les gens et offrent un avantage bien défini : vous pouvez y déposer vos effets. Prenez votre assiette ou votre verre et trouvez une table où il n'y a personne ou une seule personne. Il y a de fortes chances pour que vous ayez bientôt de la compagnie et que ce soit une gentille personne réservée qui trouve, comme vous, sécurité et confort, à cette table. Demandez simplement s'il y a encore une place disponible.

Vous savez comment utiliser vos forces pour favoriser les contacts. Vous êtes également au courant des tentations et des pièges auxquels les personnes réservées doivent souvent faire face. Pour finir, nous allons aborder les activités sociales dans lesquelles les gens avec qui vous communiquez ne sont pas présents en personne, mais dans le vaste espace des réseaux virtuels.

RÉSEAUTAGE DANS LA ZONE DE CONFORT : LES MÉDIAS SOCIAUX

Les réseaux numériques et les forums de rencontre, aussi appelés « médias sociaux », sont les lieux idéaux pour les activités de réseautage : Facebook, LinkedIn, Twitter, Google +, mais aussi services de partenariat, forums de discussion et salons de clavardage ; l'éventail est très vaste. Toutes ces plateformes en ligne ont deux choses en commun : elles vous permettent d'établir des contacts indirects, sous forme écrite. Et elles sont liées à la 9e force des gens réservés : écrire, plutôt que parler.

Le réseautage en ligne offre l'occasion, aux introvertis fonda-mentalement réticents, d'établir des contacts, mais pas « réels », car on est toujours à une distance de sécurité dans le monde numé-rique. Les idées s'échangent avec un certain retard, contrairement aux communications verbales, et les gens sont éloignés dans l'es-pace. Cela, aussi, procure une impression de sécurité convenant aux introvertis, qui aiment réfléchir calmement avant de prendre la parole. J'ai déjà lu cette déclaration sur Twitter, la plateforme des mini-blogues : « 140 caractères, c'est une dose qui permet aux gens de se supporter les uns les autres. » Je suis certaine que cela n'a pas été écrit par un extraverti ! Mais il y a d'autres introvertis qui voient les médias sociaux d'aujourd'hui davantage comme un mal nécessaire que comme une occasion de réseautage : c'est une activité de plus qui nécessite des soins et de l'attention réguliers. La phrase type que l'on entend chez cette catégorie de personnes (qui, habituellement, lèvent en même temps les yeux au ciel) est : « Quand suis-je censé trouver le temps de faire cela ? » Alors, dans quelle catégorie vous situez-vous ?

Une question pour vous

Qu'est-ce que les réseaux sociaux virtuels représentent pour vous ?
- ❏ Un bon complément aux rencontres en personne.
- ❏ Un réseautage acceptable.
- ❏ Un mal nécessaire.
- ❏ Sans opinion/manque d'information.

La plupart des gens réservés, comme vous le savez, préfèrent avoir peu de relations, mais de grande qualité. Cependant, une bonne partie de ce qui s'écrit sur Internet semble superficiel, mani-festement douteux ou simplement idiot et vulgaire. En bonne par-tie ; mais pas entièrement ! Il existe aussi beaucoup de documents sur Internet qui sont approfondis et ont du contenu.

Trucs pour utiliser les réseaux virtuels

Une chose est certaine : les médias virtuels constituent une partie du réseautage qui est inévitable, de nos jours, et ils sont probablement appelés à tenir un rôle encore plus important à l'avenir. Alors, tirez-en le meilleur parti en tant que personne réservée. Et « le meilleur parti » signifie en l'occurrence « ce qui vous convient ». Voici quelques trucs pour y parvenir :

- Assurez-vous de ne choisir que quelques plateformes qui conviennent à votre manière de communiquer et, surtout, à ce que vous prévoyez faire. Par exemple : Facebook est un sérieux fouillis de contacts personnels et professionnels. LinkedIn est une plateforme purement professionnelle, où vous pouvez vous présenter adéquatement. Twitter est un micro-blogue où vous pouvez communiquer directement avec les gens en écrivant ou en lisant des messages contenant au maximum 140 caractères. Google + fait concurrence à tous les réseaux susmentionnés depuis le milieu de 2011. Il existe de nombreuses autres plateformes. Choisissez-en deux, au maximum, pour débuter. Communiquez sur des sites virtuels ; et faites-le régulièrement !

- Dans chaque réseau, créez votre profil de façon qu'il corresponde aux buts que vous poursuivez et aux messages que vous voulez véhiculer. Le réseautage est utile uniquement si vous cultivez vos contacts et tenez votre profil à jour : soyez clair et constant dans vos messages et dans vos dialogues, ainsi que dans votre conduite avec les gens. Cela vous conférera l'identité en ligne que vous recherchez.

- Au début, ne considérez pas les contacts que vous établissez en ligne comme des amitiés ou des relations professionnelles. Mais sachez que les amitiés tout comme les relations professionnelles peuvent se développer étonnamment vite si l'échange d'idées est vraiment fructueux. Personnellement, j'ai choisi XING (plateforme professionnelle très populaire en Allemagne) et Twitter, comme plateformes qui se complètent très bien. J'ai aussi constaté que les contacts sur ces sites ont mené à une hausse du nombre d'accès à mon site Web et à mon blogue, et à davantage de communication à propos de mon travail. Cela ne signifie pas que tout le monde doit vous aimer et aimer votre profil : comme dans la vraie vie, tout ne va pas pour le mieux dans le meilleur des mondes virtuels. La quantité et la qualité de vos contacts s'accroissent comme il en va dans la nature : lentement et en continu.

- Assurez-vous de vous réserver régulièrement du temps pour le réseautage en ligne. Cela signifie, d'une part, que vous devez avoir régulièrement des périodes actives, idéalement, plus d'une fois par semaine. Affichez vos commentaires. Acceptez les demandes de contact qui semblent vous convenir. Lisez les messages que vous recevez et répondez-y lorsque c'est approprié. D'autre part, ce conseil signifie que vous ne devriez pas vous laisser distraire constamment en vérifiant vos messages Twitter ou Facebook pendant que vous faites autre chose.

- Communiquez régulièrement, et selon le rôle public que vous décidez de tenir. Si tout se passe bien, ce que vous écrivez dans les médias numériques permettra d'établir un climat de confiance : vos lecteurs auront l'impression qu'ils vous connaissent un peu. Alors, communiquez en fonction de ce que vous voulez véhiculer : parce que c'est important pour vous, parce que cela profite à d'autres, parce que cela met en valeur certaines qualités ou compétences. Je constate souvent que je n'ai pas de grandes surprises lorsque je rencontre en personne des gens inscrits sur XING ou Twitter : ces médias permettent de découvrir beaucoup de choses sur les gens. Comme vous avez l'habitude de réfléchir avant de communiquer avec eux, vous pouvez avoir la certitude que cela pourra aussi se faire lors de vos rencontres.

- Accordez autant de valeur à vos activités en ligne qu'à toute autre activité de réseautage. Tous les jours, des gens découvrent des choses importantes en ligne : de nouveaux emplois, des solutions à leurs problèmes, des fournisseurs de services pour des travaux à exécuter, de bons conseils ou des appels d'offres : les mêmes choses que l'on trouve en personne.

Mais, de grâce, rappelez-vous ceci : le véritable réseautage débute quand, à un moment ou à un autre, vous rencontrez la personne dont vous avez vu le profil en ligne. Cette rencontre ne peut pas être remplacée par le clavardage, les gazouillis, les messages Facebook ou les courriels. Alors, utilisez Internet pour établir les contacts que vous désirez et que vous souhaitez cultiver après une brève rencontre en personne. Mais passez à l'étape suivante, après avoir fait la connaissance de quelqu'un : si un contact semble intéressant et de qualité, vous devriez prendre rendez-vous « dans la vraie vie » avec la personne. (Bien sûr, cela ne s'applique pas nécessairement si elle vous écrit depuis la Papouasie-Nouvelle-Guinée...)

* * *

POINTS SAILLANTS EN BREF

- Les personnes réservées ont tout ce qu'il faut pour aborder les gens lors d'activités sociales. Cela fonctionne mieux si vous connaissez vos qualités et vos préférences personnelles et que vous vous en servez pour réseauter d'une manière qui convient à vos contacts, d'après ce que vous en savez.
- Le **réseautage** « **réservé** » donne de meilleurs résultats si l'on suit cinq stratégies : fixer des objectifs bien définis, déterminer les ressources, présenter des connaissances les unes aux autres, se faire présenter par d'autres personnes, et maintenir le réseautage actif à long terme, et avec constance.
- Un contact utile pour une personne réservée fonctionne à long terme et est significatif. La qualité, plutôt que la quantité.
- Dans la plupart des cas, les introvertis ont trois **forces** particulières pour traiter avec les gens : ils ont une bonne écoute, ils sont calmes et ils peuvent faire appel à leur pensée analytique pour trouver des sujets de conversation qui conviennent, et pour se faire entendre de leur interlocuteur.
- Les gens réservés ne devaient pas oublier leurs **besoins** particuliers lors d'activités sociales : ils sont facilement submergés par une avalanche d'impressions, ils sont rapidement épuisés

par un excès de stimulation, et ils courent le risque de rester passifs, plutôt que de rechercher délibérément des contacts et de contrôler la conversation. Mais il existe des moyens d'éviter ces risques : en s'assurant d'avoir une vue d'ensemble, en prenant du temps pour se reposer à l'occasion, et en planifiant soigneusement ses activités.

- Les **réseaux numériques**, cultivés en ligne, peuvent bien compléter les autres moyens d'entrer en contact avec des gens, surtout pour les personnes réservées qui aiment s'exprimer par écrit. Mais ils sont soumis à leurs propres règles et ils ne remplacent pas les « vraies rencontres » ; ils ne font que les compléter.

CHAPITRE 7

Conflit entre une personne et une situation :
comment négocier

Siva est candidate à un doctorat dans une université britannique réputée, à laquelle est rattaché un hôpital universitaire. Elle fait de la recherche sur les troubles métaboliques chez les patients qui font de l'embonpoint. En tant que biochimiste, elle se concentre sur certains composants sanguins. Pour ce faire, elle utilise des souris, auxquelles elle injecte certains sérums et dont elle prélève des échantillons sanguins. C'est un travail laborieux, qui a une vaste portée et qui exige des détails minutieux dans bien des domaines. Jusqu'à maintenant, Siva a réussi à se plier à toutes les exigences de son travail : elle aime ce qu'elle fait, et elle passe beaucoup de temps au laboratoire, soirées comprises. Elle a donné des conférences couronnées de succès (accompagnées de palpitations) sur ses premiers résultats dans des congrès nationaux. Elle espère finir de rédiger sa thèse de doctorat au cours des 10 mois qui suivent. Elle souhaite également finir ses études pendant qu'elle termine ses travaux en cours. Elle supervise aussi les travaux de deux candidats à la maîtrise, et elle trouve que cela lui demande beaucoup de son temps.

Mais, soudain, son emploi du temps devient encore plus serré : le directeur de thèse de Siva, un professeur renommé, a obtenu une importante subvention et s'attend à recevoir l'aide active de Siva en recherche. Mais elle ne pourra s'acquitter de ces nouvelles tâches qu'avec de l'aide supplémentaire. Elle décide de demander à son employeur un assistant de recherche qui peut se charger de son travail courant au laboratoire.

CLARIFIEZ VOTRE PROPRE POSITION
Cela signifie que Siva doit faire face à la tâche de mener des négociations. Elle veut obtenir un certain résultat, et pour cela, il faut qu'une autre personne l'aide : son patron.

Donnant, donnant
Les négociations sont un processus «donnant, donnant» : toutes les parties concernées devraient en arriver à un résultat qu'elles soutiennent et mettent en œuvre, même si leurs intérêts sont très différents. Cela signifie que le superviseur n'acceptera la proposition que si elle est utile et réalisable. Dans le meilleur des cas, il en tirera lui-même profit, et cela rend la décision beaucoup plus facile à prendre.

Les gens qui négocient ensemble ne peuvent se mettre d'accord sur une solution que si elle convient à leurs objectifs respectifs. Le patron de Siva veut qu'elle fasse de la recherche supplémentaire et qu'elle supervise des étudiants à la maîtrise. Pour sa part, Siva veut terminer sa thèse dans les délais. Dans le meilleur des cas, l'accord convenu à la fin des négociations mènera à une décision que les parties concernées mettront en œuvre par la suite. Pour Siva, cela signifie qu'il faut prévoir un poste d'assistant de recherche ou trouver une autre manière d'alléger son fardeau.

Déterminez votre point de départ
Vous pouvez faire très bonne impression dans les négociations, en tant que personne réservée. Les négociations sont l'une des techniques de communication pour lesquelles les forces des introvertis sont particulièrement utiles. Mais, avant d'en arriver à ces forces, il y a deux choses que vous devriez savoir : premièrement, vous devez trouver une base de négociations, c'est-à-dire déterminer votre propre position. C'est cela qui définit votre point de départ, à partir duquel seront élaborées toutes les autres stratégies. Deuxièmement, vous devez connaître les diverses étapes de la négociation, et ce que cela comporte, afin de pouvoir dresser les plans de ce que vous avez à faire vous-même.

LA PREMIÈRE ÉTAPE DANS LA PRÉPARATION À LA NÉGOCIATION EST DE DÉTERMINER VOTRE PROPRE POSITION; C'EST À PARTIR DE CETTE BASE QUE VOUS PRÉPAREREZ TOUT LE RESTE.

Trois points pour vous aider à déterminer votre position

1er point: déterminez votre position actuelle et ce que vous visez.

- Qu'avez-vous à offrir?
- À quoi voulez-vous que les négociations aboutissent?
- Comment cet objectif apparaît-il pour les gens avec qui vous négociez?
- De quels renseignements avez-vous besoin à propos des gens avec lesquels vous négociez et de l'objet des négociations?

2e point: établissez la distinction entre ce qui est important et ce qui est flexible.

- Établissez lesquels des points à négocier sont les plus importants pour vous. Dans quel ordre voudriez-vous discuter de ces points?
- Que voulez-vous obtenir, dans le meilleur des cas, pour chacun des points?
- Quels seraient les résultats minimaux que vous accepteriez?

Les réponses aux deux dernières questions vous procureront une précieuse marge de manœuvre.

3e point: assurez-vous que tout est clair et uniforme.

Si vous négociez en équipe (pour votre service, par exemple), mettez-vous d'accord entre vous sur les premier et deuxième points avant d'entamer les négociations. Vous aurez plus de force si vous désirez tous la même chose.

Le deuxième point, en particulier, présente un grand avantage: la flexibilité. Beaucoup de négociations achoppent parce que les parties adoptent une position indûment rigide.

Mais il existe souvent de nombreux chemins pour mener là où vous voulez aller, et où l'autre partie veut aller.

Comprendre l'autre partie

Vous découvrirez ce que l'autre partie désire au moment des négociations, au plus tard. Assurez-vous de comprendre ce qu'elle tente d'obtenir : ce n'est qu'en présentant clairement les intérêts de chacun qu'il est possible d'en arriver à une décision commune.

Tenez compte des conséquences à long terme, pendant et après les négociations : comment l'autre partie vous considérera-t-elle (ou considérera-t-elle votre entreprise), à l'avenir ? Quels effets cela pourrait-il avoir ? Comment voulez-vous vous sentir, à la fin des négociations ?

Siva a été en mesure de déterminer sa propre position en utilisant les trois points susmentionnés. En voici le résumé.

Négociations visant à alléger la charge de travail

Voici les trois points de Siva pour clarifier sa position.

1er point : déterminer sa position actuelle et ce qu'elle vise.

- Ce que Siva a à offrir : sa performance en recherche, son engagement, sa fiabilité.
- Objectif : réduire la charge de travail en laboratoire (travail courant chronophage), en faisant appel à un adjoint étudiant.
- Objectif vu avec la perspective du superviseur : des frais supplémentaires, mais aussi davantage de pression, en raison du nouveau projet de recherche et de l'augmentation du nombre d'étudiants candidats à la maîtrise : le travail doit être réparti intelligemment.
- Les renseignements nécessaires sur les gens qui participent aux négociations et sur ce qui est négocié : en principe, y a-t-il suffisamment de ressources pour payer un adjoint ? Y a-t-il eu des cas semblables dans le passé ? Combien d'heures faut-il exiger d'un assistant pour alléger la charge de travail ?

2ᵉ point : établir la distinction entre ce qui est important et ce qui est flexible.

- Points à négocier : un seul ! Alléger la charge de travail !
- Le meilleur résultat possible : disposer des services d'un adjoint de recherche. Il y a déjà un candidat qualifié et agréable.
- Résultat qui serait acceptable : ne pas avoir à superviser les travaux de maîtrise jusqu'à l'obtention du doctorat. Ce nouveau projet de recherche est une bonne occasion de prendre position : il devrait certainement figurer à l'ordre du jour.

3ᵉ point : s'assurer que tout est clair et uniforme.

- Il n'y a personne d'autre en cause, à strictement parler.
- À clarifier : quelles seront les conséquences pour le groupe de travail si un adjoint étudiant est embauché ? Suscitera-t-il des appuis ou de l'opposition ?

Siva se fonde sur ces éléments pour préparer la discussion. Avant tout, elle règle les questions non résolues :

- Pour être précise, elle a besoin d'une aide de 8 à 10 heures par semaine.
- Elle découvre par l'intermédiaire de la secrétaire qu'il n'est pas clair s'il y aura du financement pour le nouveau projet. Par ailleurs, personne ne se rappelle avoir vu un doctorant qui disposait des services d'un adjoint étudiant.
- Le groupe de travail est au courant de la lourde charge de Siva et se réjouit du fait qu'elle puisse avoir de l'aide. Mais un collègue qui vient d'obtenir son doctorat n'est pas content. Il trouve que le fait de disposer des services d'un adjoint constitue une prime inappropriée. Si tout le monde en faisait la demande…

Une date a été fixée. Siva examine les diverses étapes de la négociation pour faciliter sa planification.

ÉTAPES DES NÉGOCIATIONS

Résumé des étapes des négociations

Les négociations passent par diverses étapes. En voici un résumé, qui comprend aussi la préparation aux discussions et le suivi.

Les négociations : la chronologie des événements

Avant les négociations : la préparation

Fonction : clarification.

Établissez votre position à l'aide des trois points expliqués plus haut. Vérifiez aussi les dates, les salles, le nom des participants, les médias nécessaires et la répartition des tâches.

Pendant les négociations : les étapes

1re étape : le démarrage

Fonction : créer une atmosphère positive.

Comment : en bavardant, en posant des questions et en écoutant, par un langage corporel positif, en étant agréable, etc.

2e étape : le cœur des négociations

Fonction : trouver une position commune.

Comment : en produisant des arguments, des questions, en faisant de l'écoute active, en harmonisant les positions, en trouvant des compromis, en prenant des décisions, etc.

3e étape : la conclusion

Fonction : convenir d'une mise en œuvre, s'assurer d'avoir des relations positives.

Comment : en résumant, en partageant les tâches, en désamorçant la situation si les parties n'en viennent pas à une entente, en se quittant sur une note amicale, etc.

Après les négociations : le suivi

Fonction : mettre en œuvre ce qui a été décidé, analyser les négociations. Qu'est-ce qui a été positif ? Qu'est-ce qui pourrait être amélioré ? Comment ?

> Comment : si on ne fait pas appel à davantage de personnes, en réfléchissant chacun de son côté et en prenant des notes. Si on fait appel à davantage de personnes, par de brèves réunions et des échanges d'idées. Là aussi, prendre des notes sur les points importants.

La première étape des négociations, autrement dit le travail préparatoire, ressemble à ceci, pour Siva :
- Les trois points ont été clarifiés ; voir plus haut.
- Date : fixée. Lieu : bureau du patron.
- Aucune autre partie aux négociations.
- Médias : deux pages, une comportant un résumé de tous les travaux et les projets auxquels Siva se consacre présentement, et une sur laquelle figure le C.V. du candidat pris en considération pour le poste d'adjoint.
- Autres travaux préparatoires : aucun.

Siva a aussi songé à la deuxième étape : les négociations proprement dites. La première étape, le démarrage (1), ne prendra pas beaucoup de temps. Siva connaît son patron ; elle sait qu'il est amical et qu'en tant qu'extraverti, il aime les gens, mais il est souvent impatient, en raison de sa charge de travail. Elle sait donc qu'elle doit aller droit au but. Siva veut en arriver au cœur des négociations (2ᵉ étape), le plus tôt possible. Comme son patron n'aime pas être limité à un seul plan d'action, elle décide de dire d'abord que le temps dont elle dispose est trop restreint pour qu'elle puisse entreprendre de nouveaux projets (elle garde son résumé à portée de la main pour présenter un argument visuel au cours des négociations), et que cela la préoccupe. Elle attendra alors la réponse et écoutera ce qu'il a à dire. Elle espère l'amener à accepter sa solution optimale (l'embauche d'un adjoint) à cette étape, ou au moins obtenir un allègement de sa charge de supervision des travaux de maîtrise.

Au cours des négociations (étapes 1 à 3), il vaut la peine d'établir un cadre et des limites.

Établissement d'un cadre et de limites

- Insistez pour que chacun puisse soulever toutes les questions qu'il désire, vous compris. Cela s'applique aussi si une personne d'un niveau hiérarchique supérieur au vôtre vous interrompt. Dites poliment : « Si vous me permettez de terminer brièvement mon intervention… »
- Ramenez gentiment vos interlocuteurs sur le sujet, s'ils semblent s'égarer.
- Utilisez un langage approprié à votre interlocuteur.
- Maintenez un contact visuel amical et tournez-vous vers votre interlocuteur. Essayez de ne pas croiser les bras ou les jambes.
- Lorsqu'on vous provoque ou que vous manquez de temps, gardez votre calme, tant intérieurement qu'extérieurement. Respirez profondément et calmement si vous ressentez du stress ou de la colère.

Siva obtient ce qu'elle veut : son patron convient que l'ajout d'un projet de recherche (qui lui tient beaucoup à cœur) rend nécessaire un allègement de sa charge de travail. Il est d'accord pour embaucher un adjoint, mais il aimerait aussi que cette personne soit disponible pour des affectations spéciales, dans le contexte du nouveau projet. Il accepte la suggestion de Siva, qui aimerait s'adjoindre les services d'un bon candidat intéressé par le sujet, et doté d'un C.V. intéressant. En conséquence, Siva se voit demander de préparer une entrevue et de communiquer avec la direction. Elle est ravie, et en partant, elle dit à son supérieur combien les nouveaux projets la réjouissent.

LES APTITUDES À LA NÉGOCIATION DES INTROVERTIS

Certaines des forces des gens réservés leur procurent beaucoup d'atouts lors de négociations. Après vous être familiarisé avec la préparation aux négociations et la chronologie des événements, vous prendrez rapidement conscience des avantages les plus importants dont disposent les introvertis dans ces situations, et des trucs pour en tirer le meilleur parti.

4e force : l'écoute

L'écoute rend les négociations plus agréables : tous ceux qui ont la latitude nécessaire pour exprimer clairement leur position sont probablement plus prêts à tenir compte du point de vue de l'autre personne. Il est utile d'avoir en main les bonnes questions, au bon moment, lors des négociations (2e étape), mais la capacité d'écoute, qui laisse à l'interlocuteur la place nécessaire, importe aussi. Le fait que vous écoutiez fera sentir à votre interlocuteur que vous le prenez au sérieux (tout comme la façon dont vous traitez ce que vous avez à dire). Cela signifie qu'il sera probablement coopératif et qu'il n'aura pas besoin de déployer de grands efforts pour se faire entendre. Là encore, cela allège l'atmosphère et rend la situation moins stressante pour vous.

En termes concrets, une bonne écoute vous procure aussi un élément important, pendant le cours des négociations : des renseignements-clés sur le point de vue et les intérêts de votre interlocuteur. Vous pouvez intégrer ces renseignements à vos réflexions et à votre quête de résultats. C'est à votre avantage, lorsque vous vous employez à obtenir un résultat acceptable pour les deux parties.

Alors, Siva prend bonne note du fait que, lorsqu'elle parle d'embaucher un adjoint, son supérieur revient toujours au projet de recherche et aux ressources que celui-ci nécessite de toute urgence. Cela signifie qu'elle peut établir, pendant les négociations, s'il conviendrait que son adjoint participe activement au projet de recherche. Sa marge de manœuvre s'en trouve élargie : soudain, son patron trouve aussi intéressant le fait d'embaucher un adjoint !

Les trois questions simples qui suivent faciliteront l'écoute systématique au cours des négociations.

Trois questions-clés pour les écoutants intelligents

1. Quel besoin puis-je déceler ?
2. Quels sentiments puis-je déceler ?
3. Quelles sont les possibilités qui s'offrent à moi pour le reste de la discussion ?

N'ayez pas peur de revenir sur ce que vous avez entendu : cela signifiera que vous réfléchissez sur ce qui a été dit par votre interlocuteur et que nous en tenez compte, plutôt que d'insister sur vos propres arguments. Ne répétez pas ses propos mot pour mot, mais reformulez ce que vous avez compris. Par exemple, le supérieur de Siva dit ce qui suit, à la troisième étape des négociations, la conclusion : « Eh bien, j'espère qu'il n'y aura pas de problème d'attitude ! » Siva sent une certaine frustration et répond en reformulant ce qu'elle a entendu : « On dirait que vous vous êtes déjà heurté à un problème ? » Son supérieur lui explique les difficultés qu'il a éprouvées avec des membres de la direction, et ils finissent tous deux par discuter des façons d'éviter ces difficultés dans la situation qui les occupe.

6ᵉ force : la pensée analytique

En tant que personne réservée, votre capacité d'analyse vous permet de déterminer facilement votre propre position, face aux négociations. Vous pouvez aussi la faire correspondre aux vœux de votre interlocuteur. Par ailleurs, vous découvrez rapidement l'information qu'il vous faut encore pour créer une marge de manœuvre positive. Votre capacité d'analyse, au cours des négociations, vous aidera à formuler avec précision la question qui suit.

La question-clé, d'ordre analytique, au cours des négociations :

COMMENT CES RENSEIGNEMENTS PEUVENT-ILS
VOUS AIDER À MENER LE RESTE DES NÉGOCIATIONS ?

L'écoute permet de trouver des solutions

Siva n'avait pas réussi à découvrir avant la tenue des négociations si les ressources nécessaires étaient disponibles pour embaucher un adjoint. Alors, elle écoute attentivement lorsque la discussion porte sur le financement de la recherche ainsi que sur les travaux courants de l'établissement. Elle croit qu'il ne serait pas délicat de s'enquérir directement du financement, alors elle y fait allusion en disant que tout retard dans ses travaux entraînerait des coûts et, surtout, cela créerait un goulot d'étranglement dans le financement de son propre emploi, jusqu'à mettre en jeu l'obtention de son doctorat. Mais l'idée de la disponibilité des ressources a au moins été abordée. Les fonds nécessaires à l'embauche d'un adjoint existent, et c'est une solution relativement favorable, par comparaison avec les autres options!

8e force: la persévérance

Orientez la conversation vers les sujets que vous voulez aborder
Un introverti persévérant dispose d'un net avantage au cours de négociations: il reste patient et respectueux pendant qu'il présente ses arguments, mais il n'en démord pas. La patience a permis plus d'une réussite, après bien des va-et-vient. Insister, de façon rigide, est aussi de la persévérance, mais ce n'est pas élégant et cela ne permettra probablement pas de réussir. Le mieux est d'exploiter votre propre résistance en adoptant le langage qui convient pour maintenir la discussion sur la voie que vous avez choisie. Vous y parviendrez facilement en gardant à l'esprit quelques modèles de phrases.

Comment insister sur la question qui vous préoccupe

Voici quelques modèles de phrases pour mener vos négociations:
- « Revenons à... »
- « Ce que vous dites me rappelle quelque chose que vous avez mentionné dès le début: il s'agit de... »
- « Comment croyez-vous que cela serait compatible avec...? »

Ces stratégies linguistiques vous maintiendront sur la bonne voie et vous aideront à y garder aussi votre interlocuteur. C'est toute une manifestation de leadership!

10e force: l'empathie

Maintenir votre interlocuteur sur la même voie que vous est particulièrement important lorsque vous négociez, alors votre empathie constituera un net avantage. Mais cette force est encore plus que cela : elle signifie que, non seulement vous savez où vous voulez que les négociations vous mènent, mais aussi où vous voulez que vos relations avec votre interlocuteur vous mènent, au-delà du sujet des négociations.

Les gens réservés qui ont de l'empathie veulent en arriver à une décision dans un véritable climat d'entente, et non en insistant pour convaincre leur interlocuteur ou en le manipulant. Ce genre d'approche est idéal, dans le cadre de négociations. Siva ne voulait pas entacher sa relation avec son patron, même si elle n'obtenait pas ce qu'elle désirait.

L'empathie ne dépend pas du statut : les patrons introvertis qui possèdent cette force apprécient aussi que leurs employés en arrivent à une décision de leur propre chef, lors de négociations, plutôt que sous la pression.

Si les négociations ne mènent pas à la conclusion souhaitée, l'empathie permettra d'en arriver à une conclusion pacifique. En disant : « Dommage… mais peut-être arriverai-je à vous convaincre la prochaine fois », la personne qui n'a pas gagné la partie cette fois-ci prend du recul par rapport à la situation, mais elle démontre aussi son esprit sportif et une confiance sereine. Il n'y a pas de risque de conflit ni de projection de soi, ce qui n'est pas le cas chez bien des extravertis.

Une question pour vous

Lesquelles de ces forces personnelles pouvez-vous utiliser lors de vos prochaines négociations ?

Voici mes forces…

Et voici comment j'ai l'intention de les utiliser :

_____   _____

_____   _____

_____   _____

_____   _____

LES OBSTACLES AUXQUELS SE HEURTENT LES INTROVERTIS DANS LES NÉGOCIATIONS

Vous pouvez exploiter vos forces pendant les négociations, mais il peut aussi surgir des obstacles qui vous feront relever des défis « d'introvertis », avec toutes les exigences que cela comporte. Cette section sera axée sur ces difficultés possibles, et sur la meilleure manière d'y faire face.

6e obstacle : le fait d'être trop cérébral

Les introvertis qui ont une forte capacité analytique sont portés à entamer des négociations avec une fausse croyance, selon laquelle ce sont les meilleurs arguments qui l'emportent. Ce serait bien si c'était vrai ! Si c'était toujours ce qu'il y a de mieux qui l'emportait, le monde irait très bien ! Mais nous sommes des humains. Les humains ont des sentiments. Et se disputer pour des sentiments, ou simplement se disputer comme si votre interlocuteur n'avait pas de sentiments, finit toujours mal.

Les situations émotionnelles lors de négociations

Les sentiments revêtent différentes formes et tailles. Revenons aux négociations de Siva. Dans son cas, trois facteurs en particulier influent sur l'attitude affective de son patron et sur les échanges entre eux, dans le cadre des négociations. Premièrement, Siva et son supérieur travaillent ensemble tous les jours. Cela les a rapprochés, dans une certaine mesure. Heureusement, ils travaillent dans la confiance et le respect mutuel, deux émotions très positives. Deuxièmement, il y a une différence de statut entre Siva et son patron. Cela aussi suscite des émotions : comment le patron, son patron, compose-t-il avec le fait que Siva lui demande quelque chose et vise un résultat ? Qu'arrive-t-il s'il ne voit pas les choses d'une manière qui cadre avec les réalités de la doctorante ? Dans quelles conditions devrait-il accepter les suggestions d'un employé ? Et comment cela paraîtra-t-il aux yeux des autres personnes concernées, par exemple le collègue qui détient un doctorat et qui a critiqué la situation ?

Il existe un troisième facteur, banal, mais également important, dans le domaine émotionnel : quel est l'état d'esprit du supérieur, ce jour-là ? A-t-il mal à la tête ? Ou vient-il de se disputer avec sa femme ? Ou est-il d'une humeur de rêve, tout de suite après son jogging matinal ? On voit donc que les sentiments viennent ajouter un autre élément de profondeur aux négociations. Vous devriez donc :

> TRAITER LE PLAN AFFECTIF COMME UNE PARTIE DU PROCESSUS
> DE COMMUNICATION, DANS TOUTE NÉGOCIATION.

Pour franchir les prochains obstacles, vous devez surmonter certains sentiments qui vous feraient rester indûment sur vos positions.

8ᵉ obstacle : rester sur ses positions (fixation)

Toute personne qui a à négocier doit être prête à faire preuve de souplesse, parce que cela fait partie de la nature de la négociation : il s'agit d'harmoniser vos intérêts avec ceux de votre interlocuteur. Pour y parvenir, vous devez vous rapprocher de l'autre, au cours des négociations. Ce rapprochement se concrétise si vous soupesez les critères de vos prises de décisions, les solutions de rechange et les options possibles, ou si vous les élaborez encore davantage. On introduit souvent de nouveaux aspects qui sont importants et qui ont besoin d'un certain espace, au cours des négociations.

Rester sur vos positions peut vous entraver, ici. De nombreux introvertis apprécient les positions qui peuvent être calculées et le calme nécessaire pour y réfléchir. Il est facile de perdre de vue tous ces facteurs au milieu du va-et-vient rapide des négociations. Cela peut saper la confiance et l'harmonie : cela s'apparente à traiter un morceau de musique à quatre temps comme si c'était une valse à trois temps. Mais vous pouvez prendre des contre-mesures : vous pouvez utiliser votre capacité d'analyse (et aussi votre penchant pour l'écriture !) pour vous assurer d'avoir une marge de manœuvre dans vos négociations. La principale étape est de donner une structure aux éléments d'information nouveaux et complexes.

Gardez de la souplesse grâce à l'analyse

Aide aux négociations

Prenez des notes, au cours des négociations, afin d'avoir une vue d'ensemble. Vous pouvez utiliser vos titres de rubrique pour déplacer l'angle d'approche, ou reporter à plus tard la négociation de certains points, de concert avec votre interlocuteur, et les noter par écrit.

La prise de notes ne ralentit presque jamais la discussion ; au contraire, lorsque vous notez quelque chose, vous montrez à votre interlocuteur que vous prenez au sérieux ce qu'il vous dit.

10ᵉ obstacle : l'évitement des conflits

Il y aura toujours des négociateurs qui, consciemment ou inconsciemment, exercent des pressions pour renforcer leur position. Ils insistent pour que les décisions se prennent rapidement, parlent de plus en plus vite, parlent plus fort ou démontrent de l'impatience dans leur langage corporel, en pianotant sur la table, par exemple, ou en se penchant vers l'avant. Il est fort probable que les extravertis, qui s'énervent facilement au cours des négociations, simplement en raison de leur tempérament, se comportent ainsi. Mais se hâter peut aussi être un instrument de pouvoir employé délibérément par votre interlocuteur pour faire pression et vous forcer à prendre une décision. Beaucoup de gens introvertis sentent que, dans de telles situations, leur interlocuteur introduit délibérément le potentiel de conflit dans les négociations ; autrement dit, c'est très désagréable. En conséquence, vous vous laissez stresser par la pression qui vous a été communiquée et cela peut facilement affaiblir votre position dans les négociations.

Si vous négociez avec quelqu'un qui vous met de la pression, la première étape consiste à prendre du recul, à l'intérieur de vous-même. Prêtez attention à ce qui se passe, observez la situation et votre interlocuteur comme si vous regardiez un film. Il vous sera alors difficile de réagir instinctivement en vous refermant sur vous-même, ou en vous défendant avec agressivité.

La première étape : prenez conscience du fait que votre interlocuteur veut faire pression sur vous

Gardez à l'esprit que c'est vous qui décidez de la forme que prendront les négociations et de ce qui en ressortira. Personne ne vous oblige à accepter une accélération de la cadence ou les contraintes de temps que veut vous imposer votre interlocuteur. Alors, ralentissez, plutôt : prenez une grande respiration, et maintenez votre propre rythme, en suivant votre propre stratégie.

La deuxième étape : prenez une grande respiration et suivez votre propre rythme

Ici, vous pouvez utiliser à la fois le langage parlé et le langage corporel : résumez brièvement ce qui est important pour votre interlocuteur, mais sans énoncer ce qu'il demande (« Je comprends que le plus important, pour vous, est de ne pas dépasser le budget. »). Il est ainsi clair que vous surveillez les intérêts de votre interlocuteur, sans lui céder. Lorsque vous parlez, gardez la vitesse et le volume qui vous sont habituels. Maintenez le contact visuel : soyez attentif, mais sans fixer votre interlocuteur. Déplacez votre regard selon le « triangle professionnel », sur le visage de votre interlocuteur, entre les sourcils et la pointe de son nez.

Se taire est aussi une puissante stratégie de négociation. Une personne qui ne dit rien, plutôt que de se dépêcher de parler, après avoir fait une offre, dégage une aura de confiance. Vous pouvez aussi garder le silence lorsque votre interlocuteur vous présente une offre : personne ne vous oblige à changer de position sur-le-champ. Alors, réfléchissez calmement à l'offre. Il pourrait même arriver que votre interlocuteur revienne spontanément sur ce qu'il a dit ! Si la pression qu'exerce l'autre partie aux négociations devient trop écrasante et que vous croyez que c'est possible, suggérez une pause : reportez le reste de la discussion à plus tard.

La troisième étape (facultative) : suggérez une pause !

Parfois, il est impossible de reporter les négociations ; par exemple, si votre interlocuteur n'a pas beaucoup de temps ou s'il ne peut pas se libérer à bref préavis. C'est le moment de persévérer et de continuer... après avoir pris une pause ! Recourez à vos capacités d'écoute et d'analyse, ainsi qu'à votre ténacité. Puis, tenez-vous-en aux deux premières étapes, qui vous ont montré à vivre avec votre peur des conflits. Bonne chance !

Une question pour vous

Comment composerez-vous avec vos besoins et vos obstacles, à l'avenir ?

Voici mes obstacles...

et voici comment j'ai l'intention de les surmonter :

_____   _____

_____   _____

_____   _____

*   *   *

POINTS SAILLANTS EN BREF

- Lorsque vous négociez, l'essentiel est de vous employer ensemble à atteindre un objectif acceptable pour toutes les parties.
- Les points les plus importants, lorsque vous préparez des négociations, sont la **clarification de votre propre position** et la **planification des étapes** de la discussion elle-même. Les deux parties se sentiront rassurées si la discussion ne «s'égare pas dans tous les sens».

- Les **forces** qui suivent sont particulièrement utiles aux personnes réservées qui négocient : l'écoute, la pensée analytique, la persévérance et l'empathie.
- Et les **obstacles** particuliers à la négociation sont le trop grand souci du détail, le fait d'être trop cérébral (et d'oublier de tenir compte des sentiments), la fixation et l'évitement des conflits. Mais toute personne qui connaît ses « points de pression » peut apprendre à les maîtriser, de façon qu'ils ne causent pas d'inconvénients ou de stress. Cela s'applique particulièrement à l'évitement de conflits.

CHAPITRE 8

Sous les feux de la rampe : comment parler en public

Manuel a été récemment nommé à la tête d'un service d'une moyenne entreprise, dans le secteur des métaux. Il travaille depuis déjà plusieurs années au sein de l'équipe de direction, qui relève maintenant de lui. Il connaît bien la situation financière de l'entreprise ainsi que plusieurs des employés. Manuel est convaincu d'être au sommet de sa profession. Mais jusqu'à maintenant, il n'a eu à communiquer que dans des contextes gérables : dans le cadre de son poste de gestion, il travaillait dans des réunions d'une dizaine de personnes (ou, rarement, d'une quinzaine de personnes) et, en tant que personne réservée, il a toujours préféré les petits groupes aux grands groupes. Présenter les budgets et les états financiers annuels n'a jamais été sa tâche de prédilection, mais il connaît ses collègues et il s'est habitué à ces situations.

La promotion de Manuel lui pose de nouveaux défis. Il a découvert seulement aujourd'hui que Stuart, l'un de ses collègues de l'équipe de direction intermédiaire, prend sa retraite le mois prochain. L'une des tâches de Manuel, en tant que chef de service, est de prononcer un discours d'adieu. La seule pensée de cette allocution le met en sueur. Il connaît l'employé qui prend sa retraite et il l'apprécie. Mais prendre la parole devant 120 personnes sur ce sujet, qui est bien loin des questions professionnelles auxquelles il est habitué, est une tâche qu'il préférerait éviter.

PARLER EN PUBLIC : UN PROJET DE PERFECTIONNEMENT

À l'instar de Manuel, les gens réservés sont souvent malheureux à l'idée d'avoir à parler en public. Il y a trop d'éléments dans cette situation qui leur déplaisent : communiquer avec un groupe relativement vaste de gens, être « sous les feux de la rampe », parler pendant un bon moment sans avoir la possibilité de se retirer, tout cela peut s'accumuler pour devenir un fardeau.

S'exprimer en public, cela s'apprend

Et maintenant, la bonne nouvelle : la plupart des introvertis peuvent tout de même s'en tirer. Prononcer une allocution qui réussit à gagner l'auditoire ne dépend pas de facteurs comme l'éloquence ou le charisme intérieur. Les deux peuvent être utiles, mais il existe d'autres moyens pour réussir sur ce plan. Donner des conférences et des présentations s'apprend très facilement. Même Barack Obama a reçu une formation systématique, au chapitre des allocutions. Avant de devenir l'orateur charismatique chevronné que l'on connaît, il avait été qualifié de « rigide et professoral » et de « soporifique » (*Time Magazine*, 8 mai 2008), ou de « rigide et monotone » (Ted McClelland, rétrospective du *Chicago Magazine*, juin 2007).

Mais en juillet 2004, Obama a causé un débordement d'enthousiasme dans toute l'Amérique avec son allocution lors du congrès du Parti démocratique, à Boston, en prononçant 2 297 mots en 17 minutes. Il ne s'est cependant pas transformé en un habile orateur du jour au lendemain : il a travaillé pendant des années à perfectionner son art oratoire, et plus particulièrement à se présenter comme un grand espoir politique. Un processus de développement graduel et permanent a fait de lui une personnalité charismatique, et cet exemple contemporain d'un chef introverti démontre que ce genre de processus de développement peut mener très loin.

L'habitude crée la confiance

Même si vous ne songez pas à devenir président, premier ministre ou chancelier, vous pouvez travailler à votre perfectionnement personnel et professionnel en apprenant à parler en public. La première étape est la plus difficile, car vous êtes encore relativement inexpérimenté. Mais, plus vous prenez le risque de faire face à un auditoire, plus vous utilisez les stratégies recommandées ici, et plus vous pouvez acquérir de l'assurance et de la confiance en vous pour parler en public.

Quand une allocution est-elle considérée comme réussie ?

Imaginez de pouvoir penser ce qui suit, après avoir donné une allocution : « Oui, cela en valait la peine. Ça s'est bien passé. » Dans quelles circonstances diriez-vous quelque chose du genre ? Autrement dit : qu'est-ce, exactement, qui assure la réussite d'un exposé en public ?

Afin que vous ayez une idée précise de ce que vous pouvez accomplir dans l'idéal, je vous présente un résumé comportant les trois critères essentiels à la réussite. Veuillez garder à l'esprit que ce résumé n'est pas là pour relever la barre et vous stresser encore davantage. Au contraire, il vise à transformer le vague concept de « bon discours » en qualités concrètes. C'est promis : vous pouvez réaliser tout ce que vous allez lire dans la liste ci-dessous, en utilisant un très petit nombre de stratégies. Comme l'a découvert Barack Obama, l'essentiel est de s'exercer !

Les trois grands critères de succès

Votre discours est réussi lorsque vous vous présentez devant l'auditoire d'une façon qui convient à votre personnalité

Le premier critère a trait à votre *rôle en tant qu'orateur*. Tout auditoire aime entendre des gens authentiques. Mais si une personne joue un rôle et prétend être quelqu'un qu'elle n'est pas, elle se contraint, et contraint les autres à faire de gros efforts, sans parler du fait que jouer ainsi un rôle exige des années de répétition à un acteur. Vous ne devriez pas essayer de jouer un rôle, et vous n'avez pas à le faire non plus. Soyez plutôt fidèle à vous-même ! Cela vous épargnera beaucoup d'énergie et sera bien plus efficace. Alors, si vous avez tendance à être objectif et à faire peu de gestes, restez ainsi devant un auditoire. Vous n'avez pas à vous donner en spectacle pour intéresser les gens et les convaincre de ce que vous avancez. Visez plutôt d'autres effets positifs, comme amener les gens à croire ce que vous dites et les convaincre du fait que l'affaire est entre bonnes mains, grâce à votre expertise. Donnez-leur l'impression que le sujet vous tient réellement à cœur. Vous pouvez créer ce genre d'effet en paraissant calme, rigoureux et bien informé. Adoptez une approche calme si l'humour n'est pas votre truc. Faites des gestes retenus, plutôt que de grands élans, si vous êtes plus à l'aise ainsi. Bref, trouvez votre style personnel. Un demi-sourire, au bon moment, peut avoir beaucoup plus d'effet qu'un grand cri ou qu'un rire artificiel qui ne traduit pas ce que vous êtes vraiment.

Une question pour vous (pour votre prochain discours)

Quelles devraient être vos principales caractéristiques, en tant qu'orateur?

Voici quelques suggestions:

détendu	optimiste	honnête
objectif	réfléchi	utilisant un ton dynamique
habile à la conversation	doté d'une voix puissante	sérieux
humoristique	motivant	déterminé
chaleureux	lucide	s'exprimant avec des gestes posés
simple (même lorsque la situation est difficile)	bougeant avec vigueur	
	encourageant	ayant du contenu clair

Autres caractéristiques : _____

_____

_____

Si vous n'êtes pas certain de vos forces, consultez vos proches. Comment vous voient-ils ? Une chose importe : si vous voulez donner une impression de confiance à votre auditoire, vous y parviendrez le mieux, et le plus simplement, en exploitant vos forces et en fondant votre prestation là-dessus. Et, comme ce livre vous l'a déjà démontré, vous devriez avoir conscience du fait que, lorsque vous parlez en public, vos obstacles se dressent dans l'ombre de vos forces ; vous devez donc connaître ces obstacles, vous familiariser avec vos propres points de pression et vos besoins, et ne pas vous laisser surprendre par eux.

Manuel est chef de service, et ses forces résident dans le fait qu'il parle avec calme, au volume approprié, et qu'il s'adresse à son auditoire comme s'il s'agissait d'une conversation personnelle. Il constate aussi qu'il peut très bien tirer parti de ces caractéristiques lors d'une occasion spéciale : un discours d'adieu, qui constitue aussi sa première présentation verbale devant toute l'équipe avec laquelle il veut créer des liens solides, en tant que patron.

Votre discours sera une réussite si votre message est clair

Le deuxième critère a trait au *contenu de votre discours.* Quel est le message principal que votre allocution doit véhiculer ? Si les membres de l'auditoire ne devaient retenir qu'une phrase de votre discours, quelle serait-elle ? Aucun orateur ne devrait monter sur scène sans avoir de message-clé, peu importe qu'il s'agisse de rendre hommage à une personne, de présenter des arguments de vente ou d'avancer une hypothèse scientifique.

Manuel a déjà préparé son message principal : « Nous t'apprécions tous, Stuart, et nous sommes heureux pour toi que tu amorces cette nouvelle étape dans ta vie. » C'est en partant de ce point qu'il veut recueillir des renseignements sur Stuart, qu'il pourra utiliser pour illustrer ce qu'ils ont accompli ensemble. Comment le service le considérait-il ? Qu'est-ce qui le distingue des autres collègues ? Manuel veut utiliser tous ces renseignements pour structurer son message.

En général, les gens réservés trouvent que ce deuxième critère de succès, relatif au contenu, est le plus facile. Et cela ne s'applique pas seulement à ceux qui ont le don de la pensée analytique, la 6e force : les gens réservés ont habituellement tendance à bien réfléchir à ce qu'ils vont dire. Il faut de la discipline pour résumer son propre discours en un seul énoncé. Mais l'effort en vaut la peine : une fois que vous avez établi le point principal de votre discours, vous trouverez facile de structurer et d'explorer systématiquement tous les autres éléments que vous avancez. Cela vous aidera aussi à vous y retrouver dans votre matériel, et cela permettra à l'auditoire de vous suivre plus facilement !

Quel est votre message principal, en une seule phrase?

_____

De quel matériel avez-vous besoin pour structurer votre message principal et bâtir votre discours?

_____

_____

_____

De quel matériel avez-vous besoin pour présenter votre message principal d'une manière vivante et intéressante?

_____

_____

_____

Votre conférence sera réussie si vous êtes à l'écoute de votre auditoire et de ses besoins

Le *contact positif avec votre auditoire* est le troisième grand critère de succès. Votre discours ne peut être vraiment réussi que si vous arrivez à faire passer votre message à l'auditoire. En termes concrets, cela signifie que votre auditoire *peut* vous suivre (parce que vous leur fournissez suffisamment de balises) et *veut* vous suivre (parce que ce que vous dites est intéressant). Ce critère facilite votre rôle d'orateur: il allège le fardeau de faire la meilleure impression possible, pendant que vous vous tenez dans le faisceau impitoyable des projecteurs. L'attention est plutôt tournée vers les besoins de l'auditoire, et donc, vers la transmission de votre message et votre communication avec d'autres. La question demeure: quels sont donc les besoins de votre auditoire? Ou, plus précisément: comment procéder et quelle est la meilleure façon de rendre le contenu intéressant pour les gens qui seront assis à vous écouter?

Vous pouvez trouver une réponse significative en posant d'autres questions qui vous aideront dans la préparation de votre discours: de quels renseignements votre public a-t-il besoin? Que savent déjà les spectateurs à ce sujet? Quelle est la meilleure forme de langage à utiliser? Dans quel état d'esprit seront-ils, et qu'attendront-ils de vous? Voulez-vous surprendre votre auditoire, ou essayer de répondre à ce que vous croyez être leurs attentes?

Ce critère montre à Manuel que son auditoire s'intéressera surtout *à lui*. Comment le nouveau chef de service se comportera-t-il dans ce rôle? Comment traitera-t-il ses collègues? Il décide qu'il fera ses adieux à Stuart d'une telle façon que ses collègues sentiront que la personne devant eux est bienveillante et les respecte. Et, de plus, ils verront qu'il a les idées claires.

Quelques questions pour vous (pour votre prochain discours)

De quels types de personnes votre auditoire sera-t-il composé?

Quelles sont les qualités nécessaires pour présenter votre discours?

Comment votre auditoire vous évalue-t-il, vous et votre rôle?

Votre auditoire est-il composé de différents groupes ayant des attitudes différentes? Qui sont-ils?

Jusqu'à quel point votre auditoire connaît-il le sujet de votre discours?

Que pourrait penser votre auditoire de votre sujet?

Quels dénominateurs communs pouvez-vous trouver pour votre auditoire (et peut-être utiliser comme point de départ de votre discours)? (Exemples: le contexte, la formation, les intérêts, les affiliations, les opinions, etc.)

Comment prévoyez-vous modifier votre sujet, en fonction de ces questions?

_____

_____

_____

Les critères du triangle du succès

Si vous suivez ces trois critères de succès, vous êtes déjà sur la voie de la réussite en ce qui concerne votre discours. Le diagramme ci-dessous vous montre les liens entre eux:

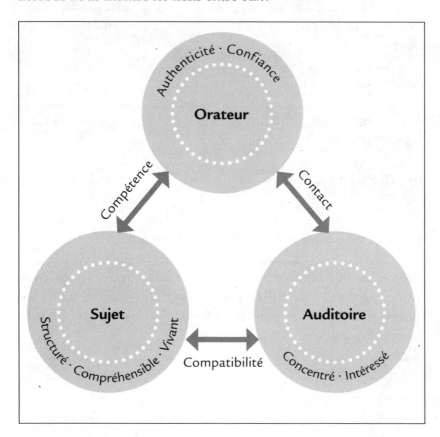

La prochaine étape est la préparation. Consacrez-y du temps : vous gagnerez de la confiance et favoriserez ainsi une attitude réceptive. C'est une étape particulièrement agréable pour les gens réservés : un discours peut être préparé dans le calme, sans auditoire...

L'OCCASION ET LA PROTECTION : LA PHASE DE PRÉPARATION !

Les avantages de la planification

« Réfléchissez avant de parler » : ce conseil a sans doute été donné pour la première fois par une personne réservée. Idéalement, vous devriez disposer de beaucoup de temps pour faire cela. Mais, habituellement, on est à court de temps ; il est donc d'autant plus important de travailler dans un but précis, avec concentration (3e force) pendant la préparation de ce que vous allez dire. Cette approche de la planification vous procure deux avantages, dès le départ. Premièrement, ce que vous direz en public aura été songé à l'avance et bien structuré. Deuxièmement, vous vous sentirez beaucoup plus sûr : vous serez en terrain connu, par rapport à ce que vous allez dire.

Fondez toujours votre préparation sur les stratégies de la section précédente : répondez aux questions en fonction des trois critères de succès, c'est-à-dire par rapport à vous en tant que personne, par rapport au sujet et par rapport à l'auditoire. C'est votre première série de lignes directrices. La présente section vous montrera comment structurer votre sujet.

Tout discours (qu'il s'agisse d'un toast, d'un rapport d'entreprise ou du discours d'adieu de Manuel à Stuart) comporte trois parties : l'introduction, le développement et la conclusion. Ce n'est pas simplement une question « d'apposer des étiquettes » : chacune de ces parties a un rôle particulier à jouer, et il importe de garder cela à l'esprit dans la préparation du matériel. L'encadré de la page suivante résume les points importants de cette planification.

Les parties du discours et leur rôle

L'introduction
- Suscite l'intérêt pour le sujet ;
- Établit une position.

Le développement
- Présente le sujet avec lucidité et d'une manière intéressante.

La conclusion
- Reprend les points importants et leur direction, avec clarté ;
- Expose clairement ce que l'auditoire est censé penser, faire et appuyer ;
- Parvient à une fin positive.

Le plan ci-après répond à ces différentes exigences. Je l'utilise souvent dans mes séminaires. Il vous aidera à structurer tout discours que vous préparez, en très peu de temps. Bien sûr, vous devez savoir de quoi vous voulez parler, mais ce n'est habituellement pas un problème, pour les gens réservés. Utilisez le modèle de plan pour préparer votre discours, de façon à placer les bons éléments aux bons endroits.

Comme un discours public n'est pas une conversation, il est peu probable que vous éprouviez des difficultés avec la vitesse à laquelle vous communiquez, si vous êtes bien préparé, car vous agissez d'une manière réfléchie, et vous n'avez pas à improviser sur le moment.

FAITES APPEL À VOS FORCES LORSQUE VOUS PRONONCEZ UN DISCOURS

La plupart des introvertis considèrent la prise de parole en public comme faisant partie du territoire des extravertis, comme une plateforme que les extravertis adorent et qui semble réservée à leurs succès. Cela peut être très décourageant. Mais les gens réservés ont des avantages qui jouent en leur faveur, qu'ils peuvent utiliser pour les aider à présenter d'excellents discours.

Les forces types des introvertis

Comme dans les deux derniers chapitres, vous trouverez ici les forces types qui sont souvent présentes chez les introvertis; dans le cas présent, il s'agit de voir comment elles s'incarnent chez ceux qui prononcent des discours. Je veux utiliser ces exemples pour démontrer une chose sur laquelle les gens réservés ferment souvent les yeux : le fait qu'ils peuvent tirer parti de leurs propres avantages pour marquer de précieux points auprès de leur auditoire.

2e force : la substance

Les gens qui ont de la substance savent de quoi ils parlent. Bien sûr, cela devient encore plus évident dans un discours prononcé devant un auditoire : Manuel ne voudrait jamais paraître en public pour dire des banalités ou pour exprimer des idées qui ne sont pas mûrement réfléchies.

Préparation d'un discours : le plan

Titre :
Élément principal :
INTRODUCTION
«Zoom avant» : entrer dans le sujet à partir de quelque chose de familier ou d'étonnant.
Résumé du contenu :
DÉVELOPPEMENT : EN TROIS SECTIONS/ASPECTS
1er aspect :
Implication/avantage
2e aspect :
Implication/avantage
3e aspect :
Implication/avantage
CONCLUSION
Résumé/répétition des principaux points
«Zoom arrière» : placer ce qui a été dit dans un contexte plus vaste.

Voici un résumé montrant les conséquences les meilleures et les plus importantes de l'utilisation de matériel riche en substance, lorsqu'on prononce un discours.

Les avantages des discours ayant de la substance

1. Ils ne comportent pas de lieux communs ennuyeux ni de clichés vides (« Je suis ravi de voir que vous êtes venus en si grand nombre... » « Avant de terminer, j'aimerais... »).
2. Le sujet a été mûrement réfléchi et examiné avec soin.
3. Il n'y a pas d'autopromotion flagrante ni de mauvaises blagues.
4. Les renseignements sur le conférencier lui-même sont bien choisis et conviennent au sujet abordé.
5. L'importance du sujet est clairement démontrée.

En résumé, ces avantages signifient que le conférencier (sans se mettre sous le feu des projecteurs) se concentre sur son contenu, entre dans le vif du sujet et tient compte du temps dont dispose l'auditoire et de la durée d'attention de celui-ci. La « substance » n'a pas d'effets uniquement sur le sujet. Cela donne aussi à l'auditoire l'impression que l'orateur leur dit quelque chose à propos de lui-même, qui a trait avec le sujet. Alors, demandez-vous ce qu'il y a d'important, de pertinent ou d'intéressant pour vous, personnellement, à propos du sujet de la conférence et la proportion que vous pouvez intégrer à votre discours.

QUELS SONT VOS LIENS PERSONNELS AVEC VOTRE SUJET ?
QUELLE PROPORTION POUVEZ-VOUS INTÉGRER À VOTRE DISCOURS ?

Lorsqu'on lui pose ces questions, Manuel se rappelle un séjour dans un établissement de perfectionnement effectué en compagnie de Stuart. Cela lui avait fourni l'occasion de découvrir un côté étonnamment différent de son collègue : Stuart lui avait parlé (avec réticence, pour commencer, puis avec de plus en plus d'enthousiasme) de la première exposition à laquelle on l'avait invité à participer, en tant que sculpteur amateur. Personne, au travail, n'était au courant, mais Manuel était maintenant autorisé par le nouveau retraité à en parler. Quel matériel magnifique pour son discours : Stuart pouvait dorénavant se concentrer sur quelque chose d'important, de précieux et ayant une grande signification pour lui. Et Manuel pouvait dire à l'auditoire à quel point il avait été impressionné lorsqu'il avait vu les sculptures.

3e force : la concentration

Même si Manuel a fait le tour du sujet, autant que faire se peut, avant de prendre la parole en public, il s'inquiète de ce que son calme et son style conversationnel ne conviennent pas à certains membres de l'auditoire, et que lui-même ne semble pas à sa place et leur paraisse ennuyeux. Mais, comme la concentration est l'une de ses forces, il n'a pas à s'en faire trop avec cela. Manuel peut marquer des points en augmentant son intensité, là où un extraverti s'exprimerait avec énergie, en faisant de grands gestes et des envolées oratoires. C'est-à-dire qu'il peut porter toute son attention sur la situation, le contenu et l'auditoire, et consacrer toute son énergie à son discours. L'essentiel, c'est que Manuel concentre son énergie sur les points qui peuvent l'aider dans son discours : saisir cette occasion de présenter *ce* sujet à *cet* auditoire.

Bien sûr, lorsqu'on prononce un discours, se concentrer sur soi-même peut être contre-productif. Mais fixer toute son attention sur soi-même n'est pas vraiment nécessaire : le langage corporel et la voix ont de toute façon tendance à s'adapter à l'humeur du conférencier et à ce qui se passe dans sa tête. C'est pourquoi ils peuvent produire tant d'effet : ils révèlent souvent beaucoup plus que ce que la personne concernée ne le veut !

Ne faites que quelques gestes bien définis

Les grands gestes ne sont pas importants. Il importe beaucoup plus que les mouvements soient clairement définis ou, autrement dit, qu'ils aient un début et une fin. Il en va de même pour l'intonation : vous n'avez pas besoin d'en faire trop, mais prenez soin de bien articuler tous vos mots jusqu'à la fin (donc ne laissez pas vos derniers mots s'éteindre), et faites délibérément des pauses à des moments stratégiques. Assurez-vous aussi que vos prises de position n'ont pas l'air de questions. Faire sonner une déclaration comme une question (« C'est ce que je voulais dire ? ») est quelque chose que j'entends souvent de la part de gens réservés ; cela signifie qu'ils semblent remettre en question, non intentionnellement, mais littéralement, leurs déclarations, et cela sape l'effet percutant que la concentration de l'orateur avait rendu possible.

En résumé, on peut dire que la concentration vous permet de faire ce que vous voulez faire avec calme, énergie et détermination. Tirez parti de l'effet percutant que vous produisez lorsque vous êtes sur la scène !

10ᵉ force : l'empathie

Tenez compte des points de vue de l'auditoire

Vous devez sans doute être déjà conscient du fait qu'une personne qui s'adresse à un auditoire ne peut pas se mettre à la place de chacun des spectateurs. Quand même, l'empathie, en tant que force, constitue un avantage particulier pour un conférencier réservé. L'orateur empathique est en mesure de se voir à la place des spectateurs, de découvrir leurs besoins et d'aborder ces sujets en premier. Il n'est pas étonnant que, bien souvent, les extravertis cabotins ne tiennent pas compte du troisième critère de succès : accorder l'attention nécessaire aux besoins de l'auditoire.

Mais que signifie l'empathie, dans le contexte d'un discours ? Revenons à Manuel et à son discours d'adieu à Stuart. Comme Manuel est capable de faire preuve d'empathie, il fera ce qui suit dans son discours :

- tenir compte de ce que ses employés pensent de Stuart : il leur manquera, et Manuel soulignera ce fait en termes concrets ;
- évaluer ce que l'auditoire trouvera particulièrement intéressant. Dans ce cas, c'est lui-même, Manuel, dans le cadre de ses nouvelles fonctions ;
- s'assurer que l'auditoire est à son écoute, en tant qu'orateur ; cela comprend le partage de son expérience avec Stuart, en tant que sculpteur amateur ;

- faire participer l'auditoire à l'événement : à la fin de son discours, il demandera à trois des collègues les plus proches de Stuart de s'avancer pour lui remettre le cadeau collectif et lui dire quelques mots.

Parler sans recourir à des notes

Et Manuel suivra sans aucun doute le conseil que son mentor lui a donné : parler sans recourir à des notes ; n'avoir que quelques mots-clés devant lui, pour ne pas être tenté de lire ses notes et d'éviter ainsi le contact (9e obstacle). Manuel s'assurera aussi de maintenir le contact visuel, de façon à évaluer les réactions de l'auditoire et d'en tenir compte, lorsqu'il y a lieu : pour un bon conférencier, chaque apparition en public est un dialogue.

Une question pour vous

Lesquelles de vos forces personnelles pouvez-vous utiliser en particulier lorsque vous prononcez un discours ? Décrivez brièvement comment vous pouvez utiliser ces forces avec le plus d'efficacité.

1re force : la prudence

2e force : la substance, le contenu

3e force : la concentration

4e force : l'écoute

5e force : le calme

6e force : la pensée analytique

7e force : l'indépendance

8e force : la persévérance

9e force : écrire (plutôt que parler)

10e force : l'empathie

Force supplémentaire : _____

Force supplémentaire : _____

Utiles des manières suivantes :

_____

_____

_____

SURMONTER LES DIFFICULTÉS PENDANT UN DISCOURS

Les obstacles types auxquels font face les introvertis qui prononcent un discours

Jusqu'à maintenant, tout va bien : les gens réservés ont des forces qui les aident à parler en public. Alors, pourquoi de nombreux introvertis détestent-ils tant prendre la parole devant un auditoire, et pourquoi autant d'entre eux sont-ils de piètres orateurs ? Le fait que les introvertis préfèrent parler à un petit nombre de personnes, ou à une seule personne, n'est pas une raison valable, comme le démontre la situation inverse : un conférencier stimulant, qui réussit à remplir des salles, n'éprouve pas nécessairement de difficulté à parler seul à seul.

La réponse à ces questions cruciales réside dans les obstacles particuliers auxquels font face les gens réservés. Jetons un coup d'œil sur quelques difficultés types.

1er obstacle : la peur

La peur peut prendre diverses formes, dans le domaine de la prise de parole en public. L'une d'elles est le *trac*, cette angoisse irraisonnée qui saisit le conférencier avant et pendant son discours. On dit que les trois quarts des gens ont le trac avant de prendre la parole en public. Les chiffres disent donc d'eux-mêmes que le trac n'est pas uniquement le propre des introvertis ! Et il ne dépend pas de l'expérience ou de la compétence de l'orateur : même les acteurs chevronnés, les professeurs les plus intelligents et les musiciens les plus talentueux ont le trac avant de paraître en public. Il s'agit d'abord d'une réaction physique. Regardons-y de plus près : plus vous en saurez sur le trac, moins ce sera une épreuve, et mieux vous pourrez le gérer.

Le trac est une forme modérée de la peur, ou de l'anxiété, de parler en public. Il comporte un grand nombre d'avantages : même une petite dose d'adrénaline rend les gens vigilants et alertes devant un auditoire. Il est biologiquement impossible d'être fatigué et de s'ennuyer si le corps réagit ainsi.

Le trac : ses causes et ses effets sur le corps

- Le trac est une réaction au stress. Le corps est fait pour réagir rapidement afin de mieux maîtriser une situation qui semble dangereuse. Peu importe si ce danger est représenté par un chien méchant ou par le fait de parler en public : physiologiquement, il se passe à peu près la même chose.
- Cette réaction est déclenchée par le système nerveux sympathique, la partie du système nerveux autonome qui est responsable de stimuler le fonctionnement de l'organisme, comme lorsque la personne ressent un stress soudain ou qu'elle est attaquée ou doit fuir.
- Le système nerveux sympathique déclenche une poussée d'adrénaline dans la médullosurrénale. Le cortisol est sécrété en tant que deuxième hormone de stress.
- Ces deux hormones limitent le corps à un nombre restreint de réactions, afin de l'aider à faire face au danger (du moins, dans le cas de l'attaque par un chien). Ces réactions sont l'attaque, la fuite ou la paralysie.
- Par ailleurs, les hormones de stress ont des effets différents, d'une personne à l'autre. Les effets possibles sont notamment une augmentation de la fréquence cardiaque, une respiration plus rapide, un changement du débit sanguin (pâleur ou rougissement), des spasmes ou un tremblement dans certaines parties du corps, des troubles digestifs (nausées, flatulences et éructations, diarrhée ou envie d'uriner), ou des troubles du système nerveux (augmentation de la transpiration, battement des paupières, maux de tête ou étourdissements).

Surmonter sa peur de parler en public

Mais comme c'est le cas pour de nombreuses substances, ce n'est pas la dose d'adrénaline qui compte. Ce n'est nocif que lorsque le trac se transforme en véritable *glossophobie*, soit la phobie de parler en public, deuxième forme de peur, après le *trac,* qui rend si difficile de s'exprimer devant un auditoire. Cette peur de parler devant un auditoire crée un réel blocage : on se sent comme une impuissante victime de la situation. On ne peut plus dire ce qu'on veut, et on ne peut pas donner son plein potentiel. La difficulté à respirer (causée par le stress), la congestion des extrémités (mais pas du cerveau) et l'augmentation du stress mental peuvent entraîner des troubles de concentration et, dans le pire des cas, une sensation de voile noir. Le contact avec le public devient plus difficile. Et avoir l'air confiant et compétent, lorsqu'une véritable phobie de paraître en public nous menace, est un vrai défi.

La question évidente est celle-ci : comment surmonter cette anxiété (tant le trac que la glossophobie) et ses symptômes négatifs ? La volonté et l'autodiscipline ne sont pas les meilleurs moyens, comme le démontrent les conséquences physiques causées par les hormones de stress : les symptômes comme les maux de tête, le rougissement et la nausée ne peuvent pas disparaître à volonté.

Première stratégie de résistance à l'anxiété :
parler en public régulièrement
Il y a toutefois quelque chose à faire, et sur trois plans : le premier est l'*habitude*. Il faut pratiquer l'art oratoire régulièrement. Si le discours est particulièrement important, vous pouvez répéter devant un auditoire d'amis ou de collègues de confiance. Si vous vous plongez délibérément et régulièrement dans une situation où vous devez prendre la parole en public, le centre de l'anxiété, dans votre cerveau, enregistrera toutes les fois que vous êtes en mesure de parler en public sans en subir de conséquences graves. Cela atténuera l'intensité de l'anxiété, et les symptômes de l'anxiété diminueront eux aussi (une chose que vous considériez comme une dangereuse inconnue devient peu à peu une habitude), phénomène que l'on appelle la désensibilisation. L'expérience amène à se détendre et à se sentir plus sûr de soi. La résistance interne que vous sentez lorsque vous parlez en public ne disparaît pas complètement, mais elle s'atténue avec le temps. L'anxiété perd de sa force.

Une façon imbattable de parler en public régulièrement est de vous joindre à un club de « *toastmasters* ». Ces clubs ont pour but d'aider leurs membres à devenir de meilleurs orateurs et de meilleurs leaders. La méthode utilisée est l'enseignement mutuel : tous ceux qui font un discours sont évalués par un autre membre. Les membres apprennent aussi à devenir évaluateurs, à improviser, à présider une réunion, bref à parler devant un public dans diverses situations. Il existe des clubs de *toastmasters* partout dans le monde ; vous trouverez le lien approprié dans la liste des sites Web utiles, à la fin de ce livre.

J'émets toutefois une réserve : si l'idée de parler en public vous fait subir une forme d'anxiété particulièrement grave, il vaudrait mieux que vous suiviez le processus de désensibilisation auprès d'une personne qui a reçu la formation appropriée en psychologie.

Deuxième stratégie de résistance à l'anxiété : l'utilisation de stratégies mentales

Deuxièmement, vous pouvez réduire l'anxiété que suscite la prise de parole en public en appliquant vos capacités de réflexion conscientes. La conscience peut influencer les processus physiques.

LE BON ÉTAT D'ESPRIT POUR GÉRER L'ANXIÉTÉ : ÊTRE BIEN PRÉPARÉ !

D'abord, assurez-vous d'être bien préparé : lorsque vous vous dites avec confiance, aux étapes préliminaires, que vous êtes bien préparé, cet état d'esprit dissipe sur-le-champ beaucoup d'anxiété. Mais, bien sûr, vous devez être réellement bien préparé. Cela enlève un gros fardeau de votre mémoire à court terme, qui fonctionne dans une moindre mesure lorsqu'une personne réservée subit du stress. Vous aurez aussi davantage de marge de manœuvre pour improviser, s'il se produit quelque chose d'inattendu.

AUTRE ÉTAT D'ESPRIT POUR GÉRER L'ANXIÉTÉ : LE SUJET EN VAUT LE RISQUE.

Cet état d'esprit fait appel au « moi supérieur ». Cela aide à se détourner de soi et à viser un but plus élevé. Le sujet est tellement important qu'il vaut tous les efforts et l'inconfort personnel qui sont associés à la prise de parole en public. Fait intéressant, cette stratégie offre un soulagement particulier aux introvertis : le cortex cérébral calme le centre de l'anxiété, dans le cerveau. Essayez : cela fonctionne.

Troisième stratégie de résistance à l'anxiété : prendre soin de son corps

Enfin, il faut mentionner une chose que bien de mes clients réservés considèrent comme la catastrophe ultime : le trou de mémoire. Il se produit lorsque vous perdez complètement le fil, c'est-à-dire l'accès à ce que vous voulez dire. Toutefois, lorsque cela arrive, vous ne perdez pas ce que vous avez déjà dit, ce qui constitue un bon point de départ pour retrouver vos moyens : répétez-le ou bien résumez le sujet principal.

Avant d'avoir recours à cette astuce, entreprenez une deuxième activité en même temps : respirer. Ou, plus précisément : respirer profondément et lentement. Il y a quelque chose de très concret dans ce conseil. Le trou de mémoire se produit principalement parce que votre cerveau manque d'oxygène et de sang, en raison de la poussée d'adrénaline déclenchée par le stress, comme nous l'avons vu plus haut. L'adrénaline cause l'hyperventilation : la respiration se fait rapide et superficielle. Cela signifie que l'air n'atteint que la partie supérieure de la poitrine, à moins que vous ne fassiez quelque chose à cet égard. Si on ajoute cela au cocktail d'hormones de stress déjà présent, on obtient des conséquences sérieuses : un manque d'oxygène, qui fait perdre le fil de ses idées.

Alors, le plus important à faire, si vous avez un trou de mémoire, est de respirer profondément. Prendre de lentes et profondes respirations abdominales (ou, plus précisément, dans la région située juste sous les côtes), comporte deux avantages : premièrement, votre voix sera plus forte et, deuxièmement, vous serez plus calme et détendu, littéralement, car la tension diminuera et les pensées afflueront plus régulièrement. Toutes les techniques de méditation du monde font appel à la respiration comme moyen de se centrer.

Le mieux est de respirer profondément et lentement avant de commencer votre discours. Trouvez un coin tranquille, même s'il s'agit des toilettes. Respirez profondément et calmement. Vous générerez ainsi de l'énergie, et vous paraîtrez devant votre auditoire avec plus de calme intérieur (5e force), ce qui donnera une impression de confiance en soi.

Le corps et l'esprit s'influencent l'un l'autre. Vous pouvez utiliser des messages mentaux pour provoquer des changements physiques (la relaxation, par exemple, comme stratégie anti-anxiété n° 2). L'inverse est aussi vrai : la respiration peut calmer l'esprit. De même, vous pouvez utiliser votre corps pour atténuer votre peur en « faisant semblant ». Prenez la pose d'un conférencier qui a confiance en lui. Mettez vos pieds ensemble sur le sol, répartissez votre poids également et tenez-vous droit. Étirez votre colonne et tenez votre tête droite. Une pose assurée fait des merveilles pour le cerveau. Il « croit » en cette confiance en soi parce que le corps la génère. Essayez, même si cela semble bizarre. Rappelez-vous que cette technique a de merveilleux effets secondaires : votre auditoire vous verra comme une personne qui a confiance en elle, parce que vous en aurez l'air.

Peu importe si vous rougissez pendant un moment. Les gens qui rougissent et trahissent ainsi un certain embarras semblent attirants, comme l'a démontré le psychologue Dacher Keltner, car la personne qui rougit révèle qu'elle se soucie de ses semblables : la communication lui importe vraiment.

2e obstacle : le trop grand souci du détail

Le trop grand souci du détail, dans un discours, est souvent lié à la peur (1er obstacle). Le conférencier tente de trouver la sécurité dans des points mineurs, qu'il connaît bien et qu'il considère comme fiables. Manuel, lorsqu'il fait ses adieux à son collègue, est tenté de simplement s'en tenir aux détails de la carrière de Stuart et de les approfondir. Ce serait objectivement correct, mais cela ennuierait beaucoup l'auditoire et serait rapidement oublié.

Les effets du trop grand souci du détail se font souvent sentir lors de discours scientifiques et spécialisés. Certains de mes clients et des membres de séminaires aiment incorporer le plus de résultats d'expériences et de détails possible dans leurs présentations (et diapositives). Cela offre sans doute un support à leurs résultats, mais ils risquent de perdre ainsi leur auditoire, en les empêchant de suivre le fil de la communication. À quoi sert le meilleur fil conducteur, s'il est tapi dans l'esprit de l'orateur et ne permet pas à l'auditoire de suivre ? Les trois trucs qui suivent vous aideront à trouver un juste équilibre entre l'importance d'être précis et le souci de ce qui importe vraiment.

La précision et l'intégralité du sujet :
comment véhiculer les deux

1. Tenez-vous-en au plan de votre discours.
Ce point est assez simple : pas de digressions !

2. Gardez le point principal présent à l'esprit.
Demandez-vous ceci, lorsque vous revoyez un sujet, des exemples, des détails et des anecdotes : cette information aide-t-elle à faire passer mon message ? Les approches qui suivent sont acceptables : amener le point principal, illustrer le point principal ainsi que les conclusions tirées du point principal. (Voir le deuxième critère de succès, à la page 217.)

3. Préparez davantage de matériel que vous ne voulez en transmettre.
Les scientifiques et les administrateurs professionnels, en particulier, se demandent souvent s'ils ont incorporé à leur discours suffisamment de chiffres, de données et de faits. N'ayez pas peur d'apporter avec vous une profusion de ces données, classées en résumés spécialisés ou sur une diapositive supplémentaire. Si quelqu'un, dans l'auditoire, veut de l'information plus détaillée après la conférence, vous serez outillé, sans avoir à surcharger la conférence elle-même pour les auditeurs.

5e obstacle : la fuite

Ne pas faire face aux échéances
Lorsque des gens réservés sont stressés, beaucoup d'entre eux sont tentés de fuir la situation. Ils essaient de ne pas tenir compte de l'échéance d'une conférence à donner, et en retardent la préparation jusqu'à ce qu'ils ne puissent plus la reporter. Cela signifie qu'ils ajoutent la pression du temps au stress de parler en public : ce n'est pas une bonne situation.

Fractionnez le travail de préparation en plusieurs étapes

Le compte à rebours est facile à réaliser. Dès que la date de la conférence est fixée, planifiez le travail de préparation en le fractionnant en petites étapes et en prévoyant une date pour chacune d'elles. Les petites étapes semblent moins menaçantes et plus faciles à gérer, elles contribuent à l'atteinte de résultats et vous aident à vous sentir plus sûr de vous. Servez-vous simplement des outils suggérés à la section «L'occasion et la protection : la phase de préparation ! », à la page 221, pour vous aider à préparer votre discours, étape par étape. En situation réelle, l'envie de fuir peut s'exprimer par le fait que la personne réservée se retire complètement dans son texte, et néglige donc le contact avec l'auditoire et ses besoins.

Cette tentation devient quasi-irrésistible si vous avez le texte de votre conférence entièrement écrit devant vous. Le contact visuel avec les spectateurs devient pratiquement impossible, tout comme l'idée de fournir une prestation vivante, utilisant les expressions qui accompagnent les structures simples du langage parlé (mais pas du langage écrit, qui peut facilement prendre le dessus, si vous n'êtes pas un professionnel du domaine).

De simples mots-clés

Vous pouvez prévenir ce genre de fuite au moyen d'une stratégie qui vous force à restreindre votre matériel : ne notez que des mots-clés, et non des phrases écrites tout au long. Le but, ici, n'est pas d'atteindre la perfection. Le langage parlé comporte toujours de petites fautes dans le choix des mots, la prononciation ou la construction de phrases. Nous ne recherchons pas des formules peaufinées, nous recherchons un contact. Les petites fautes qui se glissent dans votre langage parlé se corrigeront automatiquement dans l'esprit des spectateurs. Mais si vous n'établissez pas de contact, il ne restera pas grand-chose de votre conférence dans leur esprit. Il y trottera plutôt des listes d'épicerie et des projets de vacances…

Avez-vous cerné les obstacles qui se dressent devant vous, lorsque vous parlez en public ? Avez-vous eu l'occasion de faire un inventaire personnel ? Où se situent les risques que vous courez ? Et que pouvez-vous faire pour les éliminer ?

Lesquels des obstacles types auxquels se heurtent les introvertis pourraient vous causer des difficultés, dans le cadre d'une prise de parole en public ? Inscrivez les risques qu'ils vous font courir et ce que pouvez faire pour y remédier.

1er obstacle : la peur

Risque : _____

Ce que je pourrais faire à ce sujet : _____

_____

2e obstacle : le trop grand souci du détail

Risque : _____

Ce que je pourrais faire à ce sujet : _____

_____

3e obstacle : la trop grande stimulation

Risque : _____

Ce que je pourrais faire à ce sujet : _____

_____

4e obstacle : la passivité

Risque : _____

Ce que je pourrais faire à ce sujet : _____

_____

5e obstacle : la fuite

Risque : _____

Ce que je pourrais faire à ce sujet : _____

_____

6e obstacle : le fait d'être trop cérébral

Risque : _____

Ce que je pourrais faire à ce sujet : _____

_____

7ᵉ obstacle : l'auto-illusion

Risque : _____

Ce que je pourrais faire à ce sujet : _____

_____

8ᵉ obstacle : la fixation

Risque : _____

Ce que je pourrais faire à ce sujet : _____

_____

9ᵉ obstacle : l'évitement des contacts

Risque : _____

Ce que je pourrais faire à ce sujet : _____

_____

10ᵉ obstacle : l'évitement des conflits

Risque : _____

Ce que je pourrais faire à ce sujet : _____

_____

Le discours d'adieu de Manuel est un franc succès. Ses collègues et ses employés apprennent à le connaître en tant que membre de la direction qui se soucie des gens. Et Stuart, sujet principal du discours, est ému et fier, lorsque les applaudissements fusent pour lui aussi.

En parlant des applaudissements : ne les fuyez jamais. Les applaudissements sont les remerciements de l'auditoire. Alors, restez là et acceptez-les !

* * *

POINTS SAILLANTS EN BREF

- Les gens réservés trouvent particulièrement difficile de parler en public. Mais cela s'apprend, et plus on s'y habitue, plus cela devient facile.
- Une conférence est réussie lorsqu'elle laisse transparaître la personnalité de l'orateur, que celui-ci peut véhiculer claire-ment son message et qu'il peut s'adapter et adapter son sujet à son auditoire.
- Une bonne préparation, fondée sur les critères de succès et sur une bonne structure, élimine une grande partie du stress de parler en public.
- Le style de discours véritablement « introverti » est fondé sur les forces personnelles et évite les risques associés aux obstacles particuliers à cette personne. La première étape consiste à cerner ces forces et ces obstacles personnels.
- Les forces types des gens réservés qui prennent la parole en public sont : la substance, la concentration et l'empathie.
- Les obstacles les plus fréquents sont : l'anxiété (la peur), le trop grand souci du détail et l'envie de fuir.

CHAPITRE 9

Les règles du groupe :
comment prendre la parole dans une réunion

L'ordinateur de Paul est son plus important outil de travail, et son préféré. Paul est conseiller en gestion des technologies de l'information (TI), et il mise sur sa capacité à triompher des pièges que présentent l'évolution des systèmes et les nouveaux progiciels. Jusqu'à maintenant, il a toujours été accompagné d'un conseiller principal lors des réunions, et il a presque toujours été en contact avec les experts des TI lorsqu'il se trouvait dans les locaux de l'entreprise cliente. Mais, cette semaine, le conseiller principal de son entreprise est malade. Il a demandé à Paul de diriger la réunion avec un important client ; il est impossible de reporter cette réunion, car il s'agit d'une nouvelle répartition urgente des fonctions dans le cadre de projets de l'entreprise, et il a été difficile de rassembler toutes les personnes visées autour d'une même table, y compris le directeur général, le personnel responsable du budget et des employés du service des TI, pour cette date.

Paul redoute cette réunion. Comment est-il censé arriver à mettre d'accord sur une décision tous ces participants qui rempliront une salle entière et n'arrêteront pas de bavarder ? Il préférerait s'enfermer au service des TI pour y faire ce à quoi il excelle : planifier le flux de travail technique, et laisser la conclusion d'ententes à d'autres. Diane, du service des TI du client, est aussi terrifiée. Elle assistera à cette réunion en tant que l'un des acteurs du projet. Elle sait que, pour son secteur d'activité, elle a besoin d'une augmentation du budget et d'au moins une autre personne pour que la nouvelle entente fonctionne. Mais comment peut-elle présenter cela à la réunion plénière? Et pour couronner le tout, son grand patron sera présent…

LES RÉUNIONS PEUVENT ÊTRE LA SOURCE D'UNE TROP GRANDE STIMULATION

Les réunions et les discussions de groupe sont souvent stressantes pour les gens réservés tels que Paul et Diane, surtout lorsqu'un tas de participants sont du genre à aimer prendre la parole en pareille situation. Les introvertis ont tendance à réagir comme suit: ils se sentent trop stimulés (3e obstacle), se referment sur eux-mêmes et sont d'avis que la plus grande partie de ce qui se dit n'est que du blabla. Beaucoup d'introvertis trouvent que l'on tient peu compte d'eux lors de ces grandes réunions. Une cliente m'a déjà dit: «Je me sens souvent complètement invisible, lors de telles réunions, mais le comble a été atteint la semaine dernière: j'avais pris mon courage à deux mains pour suggérer quelque chose qui me tenait à cœur, et personne n'en a tenu compte. Mais lorsqu'un collègue a dit à peu près la même chose, un peu plus tard, tout le monde a trouvé que c'était une excellente idée. J'ai pensé que je ne devais pas me trouver dans la même pièce que tout le monde!»

LES ACCOMPLISSEMENTS QUI DEMEURENT INVISIBLES

Les discussions qui ne produisent pas les résultats attendus ne sont que l'un des désavantages que subissent les gens réservés. Les introvertis qui demeurent silencieux en groupe ne peuvent pas faire valoir adéquatement leurs accomplissements et leurs idées. Parfois, la situation est encore pire, et les suggestions faites par la cliente susmentionnée, par exemple, sont «usurpées» par quelqu'un d'autre et sont accueillies avec enthousiasme par les participants. De plus, les supérieurs peuvent avoir l'impression que la personne introvertie, qui est tellement à l'écart pendant les discussions, n'a pas l'esprit d'équipe. Tout cela peut représenter un risque réel pour la carrière.

Alors, comment pouvez-vous, en tant qu'introverti, attirer l'attention et faire remarquer votre présence, dans cette ambiance compétitive ? Et comment pouvez-vous y parvenir moyennant une dépense d'énergie raisonnable ? Le présent chapitre se penche sur ces questions.

LES SÉANCES PLÉNIÈRES : SIX RÈGLES ET SIX CONSÉQUENCES POUR LES INTROVERTIS

Dans cette section, nous allons aborder les règles qui régissent les discussions de toutes sortes. Plus vous en saurez à propos de ces règles, et plus vous serez en mesure de négocier pour en arriver à ce qui importe dans les réunions : avoir de la visibilité, de la confiance en soi et être convaincant. Et ce qui est dit à propos de chacune de ces règles est peut-être encore plus important : vous trouverez les forces types des introvertis dans le contexte des réunions (et comment les utiliser), ainsi que les obstacles types auxquels ils font face (et comment en limiter les conséquences).

Règle n° 1 pour les réunions : seuls ceux qui parlent ont de la visibilité

Si vous voulez donner l'impression d'avoir une approche compétente et constructive, dans les réunions, vous devez fournir votre apport. Cela ne signifie pas que vous deviez parler sans arrêt, mais assurez-vous de dire quelque chose à chacune des réunions. Je connais des introvertis à la voix douce que tout le monde écoute quand ils parlent, en raison de la qualité de leurs propos.

C'est ici que la 2e force, la substance, vous sera utile (ainsi que d'autres éléments dont nous allons parler). À vrai dire, lorsque les introvertis prennent la parole en public, cela produit généralement de l'effet, parce qu'ils y ont longuement réfléchi au préalable. Habituellement, les introvertis n'ont pas tendance à tourner autour du pot et à rechercher un statut, parce qu'ils sont davantage préoccupés par l'objet de la réunion que par eux-mêmes. Le groupe en tire avantage lorsqu'il a besoin de se former une opinion ou de prendre une décision (ou de placer un mot sur les besoins d'autres personnes). La substance, ainsi que d'autres forces, rendent alors l'apport des introvertis particulièrement précieux. Sachez en tirer parti !

Le 1er obstacle, la peur, peut empêcher de parvenir à la visibilité désirée. Donner son opinion, lors d'une réunion, est aussi une prise de parole en public, ce qui a été abordé au chapitre 8. C'est pourquoi il est aussi vrai ici que dans le chapitre précédent que la peur est un obstacle. Pour surmonter la peur, veuillez suivre les conseils qui vous ont été donnés plus tôt.

Les réunions au cours desquelles il faut présenter de nouvelles idées constituent une épreuve particulièrement difficile à surmonter. Les menaces les plus importantes sont une trop grande stimulation et la passivité (les 3e et 4e obstacles). Si vous voulez participer activement à une séance de remue-méninges, faites appel à la 9e force, l'écriture (idéalement, à partir de l'étape préparatoire). Prenez une feuille et inscrivez-y les résultats de votre propre remue-méninges. Il ne faudra pas longtemps avant que vous ne découvriez qu'il est beaucoup plus facile, ensuite, de fournir votre apport dans les réunions qui se déroulent rapidement !

Règle n° 2 pour les réunions : la durée d'attention a tendance à être limitée

Faites passer vos principaux points
Parler est une chose. Mais cela ne peut avoir de succès que si les autres écoutent vraiment. Le point le plus délicat, quant au sujet, pour les gens réservés, est la tendance au trop grand souci du détail (2e obstacle) : les introvertis sont portés à se perdre dans une profusion de détails et à transformer un fil d'idées clair en un écheveau de détails inextricable.

Alors, assurez-vous de ne pas vous embourber dans ce genre de détails lorsque vous fournissez votre apport à une réunion. Cela risque de faire perdre rapidement patience aux extravertis, qui vous retireront leur attention. Si vous répondez à une question en donnant trop de détails, vous pouvez facilement provoquer la frustration des participants, et perdre l'attention de tous. Alors, avant de prendre la parole, réfléchissez comme vous le feriez avant un discours : « Quel est mon point principal ? » Et prêtez attention à la manière dont vous le dites : faites des phrases structurées, simples et courtes.

Faites-vous entendre

L'attention que l'on vous porte dépend aussi du *volume de votre voix* : même le sujet le plus emballant endormira votre auditoire si vous le présentez sur le ton d'une oraison funèbre. Une voix douce et faible, le manque de pauses, ou un débit indûment rapide diminuent aussi les effets recherchés, quel que soit l'intérêt que présente le sujet, considéré objectivement. Soyez attentif au stress pendant votre prestation. Chaque phrase comporte des mots-clés, par rapport au sujet, et vous devriez les souligner de la façon appropriée. Et puis, vous devriez aussi baisser le ton, à la fin d'une phrase. Cela délimite les phrases en tant qu'unités de sens et leur donne du poids. Parlez assez fort pour que tout le monde puisse vous entendre, et demandez à un gentil collègue de commenter la vitesse à laquelle vous vous exprimez, lorsque vous faites une intervention : vous ne devriez pas avoir l'air agité, ni être lent au point d'endormir votre auditoire.

Le contact visuel avec l'auditoire

Un autre élément du langage corporel permettant d'obtenir l'attention consiste à établir un *contact visuel*. Essayez d'établir un contact visuel, surtout avec les décideurs présents dans la salle : ce sont les gens que vous devez convaincre. Habituellement, les introvertis se sentent en sécurité et beaucoup plus à l'aise lorsqu'ils parlent à des personnes plutôt que de s'adresser à de vastes groupes. Tirez parti de ce fait : regardez chacun de vos collègues lorsque vous intervenez dans le cadre d'une réunion, comme si vous ne parliez qu'à une seule personne pendant un moment. Le contact visuel avec les personnes est non seulement rassurant pour vous, mais il vous donne aussi de la force, de la présence, et vous rend plus convaincant. Vous serez le centre d'attention, et il est ainsi beaucoup moins probable que l'un de vos collègues fasse passer l'une de vos idées pour la sienne, un peu plus tard !

Règle n° 3 pour les réunions : aucune prise de décision avant la clarification du statut

Le temps de parole dépend du statut

Il est frustrant pour les gens qui ne sont pas très conscients du statut (autrement dit pour de nombreux introvertis, surtout les femmes) qu'il ne soit pas possible d'avoir une discussion significative avant que les participants n'aient clarifié l'ordre de préséance entre eux. Le livre de Marion Knath, intitulé *Spiele Mit der Macht* (Jeux de pouvoir), montre comment se déroule cette clarification lorsqu'un groupe se réunit pour la première fois. Et elle déclare calmement : « L'ordre de préséance est plus important que le sujet ! » Le temps accordé à l'intervention dépend aussi du statut. Si votre échelon est plus élevé, vous pouvez parler plus longtemps, et vous éloigner du sujet. Si vous êtes d'un échelon moins élevé, vous devez être bref ; il est probable que vous soyez interrompu et que vos interventions provoquent des réactions moins importantes.

*Assurez-vous d'avoir assez de temps pour dire
ce que vous avez à dire*

Les gens réservés qui ont tendance à éviter les contacts (9ᵉ obstacle) préfèrent également éviter les gens qui les énervent. Il est fort probable que les gens qui se querellent à propos du statut entrent aussi dans cette catégorie. Vous devez leur résister, mais à vos conditions. Alors, assurez-vous d'avoir suffisamment de temps de parole, au moins autant que vos collègues de même échelon. Mais si vous préférez faire une brève intervention, plutôt qu'un long exposé, essayez d'intervenir plus souvent, pour compenser. Et, pendant que vous parlez, n'oubliez pas que c'est le participant le plus haut placé qui est le plus important et que vous devez convaincre. Cette personne se reconnaît au fait que tous les yeux sont tournés vers elle pour vérifier comment elle écoute et réagit aux diverses interventions. Vous ne serez probablement pas interrompu si la personne la plus haut placée vous écoute.

Une posture dénotant de la confiance en soi

Affichez un air de confiance en vous, dans votre posture aussi, et tournez-vous vers les autres. Cela signifie occuper l'espace de manière confiante, sans devenir désinvolte. Utilisez l'espace complet de votre chaise, mais ne vous prélassez pas et n'écartez pas les coudes du corps. Asseyez-vous droit, et ayez l'air ouvert. Évitez les gestes de soumission, comme le fait d'incliner la tête sur un côté ou de regarder au loin, lorsque la situation est désagréable. Assurez-vous que vos mouvements sont bien définis, autrement dit qu'ils ont un début et une fin : ne vous balancez pas et ne tripotez pas d'objets. Il en va de même pour votre voix : le ton peut être calme (5ᵉ force), pourvu qu'il soit déterminé, et votre exposé devrait être donné avec suffisamment d'énergie jusqu'au bout de vos phrases. Prenez soin de respirer profondément (voir le chapitre 8). Ne prenez pas un ton anxieux et ne faites pas de gestes nerveux. L'agitation abaisse votre statut. Dans l'ensemble, vos messages devraient véhiculer une chose : vous savez (poli, amical et coopératif comme vous l'êtes) exactement ce que vous faites.

Si vous n'êtes pas prêt à vous démener pour avoir l'occasion de prendre la parole à la séance plénière, vous pouvez suivre les conseils donnés à la règle nº 5 pour les réunions, et contribuer à préparer les décisions stratégiquement à l'avance. Les « éminences grises » (les décideurs qui agissent en coulisse) occupent, eux aussi, des postes cruciaux.

Règle nº 4 pour les réunions : c'est équitable... parfois !

Lorsque les intérêts objectifs sont abandonnés

Dans le meilleur des mondes, chacun jouerait selon les règles, même dans les réunions ! Mais, comme je suis certaine que vous le savez déjà, cela ne se passe pas vraiment comme ça dans la vraie vie. Bien sûr, l'équité existe, ainsi que les échanges faits avec ouverture d'esprit. Mais pas toujours. Beaucoup de gens qui prennent part à des réunions trouvent qu'il vaut la peine d'enfreindre les règles et d'interrompre les autres, ou même de les attaquer, si ces approches ne sont pas sanctionnées et qu'elles augmentent les possibilités de progresser personnellement (visibilité, compétition pour le statut). Le comportement injuste est particulièrement stressant pour les gens réservés, et il peut même porter atteinte à leur statut et à leur efficacité, s'ils ne gèrent pas ce genre de situation avec une grande confiance, surtout lorsqu'ils cherchent à éviter les conflits (10e obstacle), qui est l'un de leurs facteurs de pression personnels.

Voici un «plan d'urgence» pour vous, de façon que vous puissiez agir rapidement, au besoin: les cinq infractions les plus fréquentes aux règles dans les discussions et les manières les plus fructueuses de les gérer.

Trucs en cas de violation des règles

Violation de règle	Quoi faire
1. Un participant vous interrompt lorsque vous parlez.	1. La meilleure stratégie, si vous êtes interrompu par quelqu'un de votre échelon ou d'un échelon inférieur, est de rester sur vos positions (8e force: la persévérance) et de continuer à parler! Glissez dans vos propos la phrase suivante, d'une voix forte et claire: «Laissez-moi seulement en venir à ma conclusion.» 2. Si la personne qui vous a interrompu occupe un échelon supérieur, il vaut peut-être mieux la laisser faire (s'il s'agit de votre patron, par exemple), et poursuivre l'échange, pendant qu'elle parle, au moyen d'un contact visuel ou d'un hochement de tête. Et, si c'est possible, réagissez directement à ses propos.
2. Un collègue reformule votre intervention: «Ce que Nathalie essaie de dire...»	1. Il s'agit clairement d'une lutte de pouvoir: le collègue essaie d'établir clairement qu'il a le droit d'interpréter ce que Nathalie a dit. 2. Si vous êtes Nathalie: commentez toujours les interruptions comme celle-là. Par exemple: «Merci de ton appui, Robert. Ce qui est particulièrement important, ici...»

3. Un collègue essaie de mettre votre idée en veilleuse en inventant un délai : un groupe de travail devrait examiner la question de plus près, il faudrait attendre la décision concernant la planification du budget, il faut d'abord recueillir davantage de renseignements, etc.	1. Le risque découle du fait que votre idée perdra de son élan à la suite de ce délai et qu'elle disparaîtra graduellement, alors que votre collègue semble vous fournir son appui. 2. Convenez avec votre collègue, lors de la séance plénière, que cette innovation demande beaucoup de réflexion. Puis, ajoutez que vous et votre équipe avez déjà fait cette réflexion préparatoire. Quelque chose comme : « C'est vrai. Nous devons examiner de près plusieurs facteurs avant de donner en impartition cette partie du projet. Et c'est précisément ce que nous avons fait, au cours des dernières semaines. Les résultats sont totalement positifs. Aujourd'hui, nous devons en venir à une décision : nous ne pouvons réaliser le projet à temps que si nous en externalisons une partie, au bon moment. Sinon, cela nous reviendra très cher. Y a-t-il des questions à propos de notre recherche ? »
4. Un collègue vous poignarde dans le dos et plaide contre un accord conclu plus tôt.	1. Vous n'avez aucune possibilité de vous prononcer contre lui lors de la séance plénière, s'il s'agissait d'une entente officieuse. Mais parlez à votre collègue immédiatement après la réunion et tentez de découvrir pourquoi il a changé d'idée (ou même, de stratégie). 2. Cependant, si une entente officielle a été conclue, vous devriez le dire clairement : « Je suis étonnée de vous entendre dire cela. À la dernière réunion du service, nous avions convenu de... Comment tout cela peut-il s'harmoniser ? »
5. Un collègue vous attaque injustement à la séance plénière : « Mais ces chiffres sont absurdes ! »	1. Prenez une grande respiration : il s'agit manifestement d'une lutte pour le pouvoir que votre attaquant espère gagner. 2. La réponse idéale doit reposer sur des faits : « À quels chiffres réels faites-vous allusion ? » 3. Si vous ne trouvez pas de réponse qui convienne, établissez clairement, pendant la séance plénière, que vous ne laisserez pas la situation ainsi. Vous pourriez dire : « J'ai une autre affaire dont je dois m'occuper maintenant. Nous verrons plus tard. »

Règle nº 5 pour les réunions : les alliés contribuent à l'atteinte de résultats

Des choses importantes se passent avant la réunion

Habituellement, les réunions impliquent bien des gens et des secteurs de travail. S'il y a une chose que j'ai apprise, dans le cadre du travail en comité, c'est que s'il y a une décision difficile à prendre en perspective, dans la plupart des cas, elle est déjà convenue *avant* la réunion. Autrement dit, les gens qui seront touchés par la décision forment des alliances, principalement avec d'autres façonneurs d'opinion, mais aussi avec d'autres participants. En agissant ainsi, ils s'assurent que leur candidat aura la majorité à la prochaine élection, ils ont convenu d'avance de la répartition des ressources, ou orienté les résolutions dans une direction particulière.

Parlez aux décideurs avant la réunion

Prenons Paul, notre premier exemple. Je lui ai conseillé de parler individuellement, avant la réunion, aux gens qui prendront les décisions relativement à la répartition des tâches du projet. Le but est de filtrer les divers intérêts et de préparer une décision qui convienne à tous, et qu'ils trouveront même avantageuse. Paul est introverti, alors il préfère les conversations en tête à tête aux discussions en groupe et ne trouve donc pas cette situation difficile. Il fait preuve de prudence et gère la situation avec soin (1re force). Il est aussi à l'écoute (4e force) des personnes concernées et se met à leur place, alors il ne pense pas seulement à ses propres intérêts et à rien d'autre (10e force). En se fondant sur ces critères, Paul en arrive à un bon compromis, et il en glisse un mot au directeur général avant la réunion. Ainsi, le directeur général se sent bien informé et sait où il se situe : c'est important dans la lutte de pouvoir !

Les avantages de former des alliances sont évidents : les réunions deviennent prévisibles, quant aux points les plus importants, et vous êtes en contact avec les façonneurs d'opinion et d'information, davantage que vous ne l'auriez été en temps normal. Et, pour couronner le tout, vous pouvez diminuer les possibilités qu'un participant ne vous poignarde dans le dos à la séance plénière. Ainsi, vous avez obtenu deux avantages majeurs pour la réunion : la certitude et la prévisibilité.

Règle n° 6 pour les réunions : ce qui a été décidé et sa mise en pratique sont deux choses différentes

Quand il y a des obstacles à la mise en pratique

La deuxième leçon que j'ai retenue de toutes les réunions du conseil et directoriales auxquelles j'ai pris part, c'est que tout ce qui a été discuté et adopté est mis en pratique. Parfois. Mais, ce qui est décidé immédiatement après une réunion en représente la valeur réelle. Qu'arrive-t-il ensuite ?

Ce n'est pas toujours pareil. Après des élections, on peut rarement faire grand-chose à propos de la personne qui a été élue. Mais les propositions qui prennent la forme de décisions à la fin de la réunion sont beaucoup moins stables. Il y a plusieurs raisons à cela, depuis l'indifférence et la négligence, jusqu'au sabotage et aux décisions contradictoires de supérieurs qui n'étaient pas présents à la réunion et qui modifient les paramètres de la situation si un résultat ne leur plaît pas.

Les gens réservés, qui ont tendance à éviter les contacts et les conflits (9e et 10e obstacles), succombent souvent à la tentation de se réfugier dans l'espoir et de tenir pour acquis que les résolutions seront mises en œuvre ; ils en sont souvent quittes pour une mauvaise surprise. Une question est particulièrement importante, en l'occurrence : que pouvez-vous faire pour augmenter les probabilités de réalisation des décisions qui vous tiennent à cœur ?

Consignez les résolutions par écrit

Ici, la persévérance (8e force) est votre principal atout. Si quelque chose vous importe vraiment, vous devriez vous y tenir et continuer d'en parler à ceux de vos collègues qui sont responsables de sa mise en œuvre. Est-ce que tout fonctionne comme prévu ? Y a-t-il des obstacles ? Pour assurer la fermeté d'une résolution, il vaut mieux la noter par écrit : les écrits restent et sont plus faciles à vérifier, ce qui aide lorsque les gens commencent à dire des choses comme : «On n'a *jamais* convenu de cela ! » Vous avez le choix entre divers supports : des copies d'un tableau blanc interactif, un courriel à tous les participants, ou le bon vieux procès-verbal. Ce qui importe, c'est le contenu. Il devrait toujours comporter la réponse aux trois questions : qui, quoi, et quand ?

Il n'est pas toujours possible de prévenir les interventions et les décisions ultérieures des supérieurs. Mais vous pouvez les écarter, dans une certaine mesure, grâce à une politique d'information soigneusement ciblée : voyez la règle n° 5 concernant les réunions.

Trois questions pour vous

Que trouvez-vous particulièrement difficile, dans les réunions ?

_____

_____

_____

Quelles en sont les conséquences ?

_____

_____

Que voulez-vous faire différemment, à l'avenir ?

_____

_____

_____

DIRIGER UNE DISCUSSION : LES RÉUNIONS POUR LES ÉTUDIANTS AVANCÉS

Paul s'est vu confier la direction d'une réunion. La présente section porte sur la façon de bien gérer ce genre de tâche, avec les forces calmes d'un cadre réservé.

Le temps de planification

S'il est en votre pouvoir de fixer des horaires et des dates, assurez-vous qu'ils sont pratiques : pas trop tôt, pas trop tard, et pas trop de réunions un même jour. Laissez assez de temps pour la consultation entre les diverses réunions, et pour amorcer la mise en œuvre des décisions qui ont été prises.

Le contenu de la planification

Mieux vous êtes préparé pour une réunion, plus le tout se déroulera avec efficacité. Voici une liste de vérification que vous pouvez consulter, au moment de planifier des réunions.

Liste de vérification en vue de préparer une réunion

1. L'horaire : quand la réunion aura-t-elle lieu ? Combien de temps devrait-elle durer ?
2. Le lieu : où la réunion se passera-t-elle ?
3. Quels sont les objectifs de cette réunion ?
4. Quels seront les points abordés ?
5. Dans quel ordre ces points devraient-ils être discutés ?
6. Combien de temps faudrait-il consacrer à chacun des points ?
7. Quels sujets pourraient être omis, s'il manque du temps ?
8. Qui sera invité à la réunion (liste des participants) ? Qui devra participer à un point particulier de l'ordre du jour ?
9. Qui est responsable de points particuliers de l'ordre du jour ou doit diriger la discussion à ce sujet ?
10. De qui attendez-vous des documents, en vue de cette réunion ? Quand devriez-vous les demander ? Et quand devraient-ils vous être livrés ?
11. Comment les résultats devraient-ils être consignés ? Et par qui ?
12. Quels supports sont nécessaires ?
13. Qui envoie les invitations à la réunion ? Que doivent contenir ces invitations (ordre du jour) ?
14. Qui fera la compilation des documents et s'assurera qu'il n'en manque pas ? Qui prendra les dispositions pour qu'ils soient distribués à l'avance (au besoin) ?
15. Qui s'occupera de la préparation générale (réservation de la salle, plan de salle, supports, porte-noms, collations, rafraîchissements) ?

La mise en œuvre

La discussion proprement dite pose le plus grand obstacle. Mais vous pouvez l'aborder d'un point de vue analytique (6e force) et suivre les étapes ci-dessous pour présider la réunion.

Étapes de la réunion

1. Introduction : accueillez les participants, présentez l'ordre du jour, assurez-vous que les gens sont au courant de ce qui se passe (durée de la réunion, importance du sujet, participants spéciaux, etc.).
2. Séquence en trois étapes (Remarque : ces étapes s'appliquent individuellement à chacun des points de l'ordre du jour.) :
   • étape de l'information (présentation du sujet par vous ou par d'autres) ;
   • étape de travail (traitement des sujets, échange de questions, d'information et d'arguments) ;
   • étape des résultats (résumé, coordination, planification de la suite, répartition des tâches et des responsabilités – qui fait quoi, et quand ? – ou report des décisions et planification de la suite).
3. Étape finale : remerciements à tous les participants, mise en évidence des résultats positifs. Puis, possibilité d'une discussion sur les dates des réunions subséquentes et brèves salutations.

Le plus grand défi est probablement le contrôle du processus. S'il existe de la controverse, des écarts et des distractions, il est très difficile de retourner à la trajectoire que la réunion aurait dû suivre. En pareil cas, Paul décide de prendre une grande respiration, de garder son calme (5e force) et de diriger la réunion à partir du point approprié de l'ordre du jour avec une ténacité tranquille, en soulignant l'heure qu'il est, si c'est approprié.

L'équilibre

Prêtez une attention particulière aux introvertis, pendant la réunion. Il peut être long avant que ces personnes ne se prononcent, et elles parlent souvent plus doucement que les autres participants. Assurez-vous que les gens réservés ont leur mot à dire, et pas seulement dans un souci de justice : vous savez maintenant que les introvertis sont réfléchis et prudents, autrement dit qu'ils sont portés vers la sécurité. Cela peut signifier qu'ils apporteront d'importants facteurs dans la discussion, auxquels ne font pas attention leurs collègues extravertis. Vous êtes un directeur de discussion réservé, alors vous êtes dans une position idéale pour vous assurer que les introvertis ont droit de parole et que leur apport reçoit toute la considération qu'il mérite.

Le remue-méninges en tant que mesure exceptionnelle

Dans les réunions, on a recours au remue-méninges pour trouver le plus d'idées possible, par exemple sur la façon de résoudre un problème ou d'élaborer une vision. Les idées sont lancées dans le désordre et rassemblées, mais pas évaluées ni discutées avant l'étape suivante. Le remue-méninges est un mode de communication formidable pour les extravertis. Se précipiter pour trouver des idées spontanément dans un contexte social, quel plaisir pour les gens qui formulent des idées à mesure qu'ils parlent !

Mais cela semble différent pour les introvertis. Ils préfèrent réfléchir calmement avant de partager leurs idées, et seuls. La discussion est habituellement passée à l'étape suivante avant que les participants réservés aient développé des idées qu'ils croient viables en principe : les extravertis sont déjà en train de comparer et d'évaluer les idées émises jusque-là. Les idées des introvertis sont donc perdues et, avec elles, 50 pour cent du potentiel du groupe. Le livre de Susan Cain fait allusion à des études récentes selon lesquelles les vastes groupes sont habituellement moins productifs que les groupes de plus petite taille, ou que les personnes qui développent de nouvelles idées dans l'isolement complet (Cain 2011). La grande exception à cela est le remue-méninges en ligne, sous une habile direction.

Le remue-méninges en ligne ou sur papier

Cela signifie, en principe, que vous pouvez adapter les autres façons de trouver des idées à une plus petite échelle, sans aucune difficulté et sans enlever quoi que ce soit aux résultats. Ou bien, vous pouvez transposer le remue-méninges en ligne. Mais si la réflexion en séance plénière est la manière traditionnelle de trouver des idées dans votre entreprise, il existe une façon simple de rendre les séances de remue-méninges accessibles et aussi profitables que possible : demandez simplement aux participants de prendre quelques minutes pour noter les premières idées qui leur viennent à l'esprit (9e force). Cette approche crée une situation où les introvertis peuvent réfléchir seuls et s'exprimer au moyen de leur médium préféré. Les idées ne seront pas discutées avant l'étape suivante, et elles seront alors présentées à tous, sur un tableau blanc interactif, un tableau de papier ou un tableau d'affichage.

Gérer les participants et les situations difficiles lors de discussions

Les résumés des sections précédentes vous procureront une impression de sécurité, lorsque vous dirigerez des discussions. Mais vous pouvez vous trouver dans des situations stressantes pour tous, et pas seulement pour les dirigeants réservés. Il vaudra donc mieux que vous soyez préparé aux perturbations et aux difficultés. Le résumé qui suit contient les plus importants facteurs de stress qui peuvent survenir au cours d'une réunion, ainsi que les stratégies appropriées pour vous aider, en tant qu'animateur de discussion (réservé), à gérer les gens et les situations difficiles.

Les situations difficiles lors d'une discussion

1. **L'inaction :** personne ne dit ni ne fait quoi que ce soit.

   Stratégies : assurez-vous que tout le monde sait où vous en êtes. Résumez brièvement ce qui a été réalisé jusqu'à ce moment. Cernez les questions non encore résolues. Posez vos propres questions pour orienter les participants dans la bonne direction.

2. **Les divergences d'opinions :** litige entre au moins deux des participants.

   Stratégies : si le conflit porte sur quelque chose de concret, présentez les différents points de vue en termes neutres. Sondez les opinions à la séance plénière, si vous croyez que c'est approprié. Si la situation devient trop chargée d'émotions et que l'agitation est à son comble, apaisez les participants en faisant une brève pause afin que les parties en conflit puissent régler leurs différends sans témoins, puis la séance plénière pourra reprendre son cours.

3. **Les reproches :** les participants critiquent votre approche.

   Voici un exemple tiré de la réunion de Paul : « Mais tu avais dit que tu nous fournirais le plan budgétaire avant la réunion ! »

   Stratégies : si les critiques sont justifiées, faites appel à votre empathie (10e force) pour tenter de comprendre le point de vue de l'autre personne. Puis, dites ce que vous avez l'intention de faire à ce sujet, en termes concrets.

   Voici un exemple de réponse pour Paul : « Nous ne disposons pas encore de toutes les données. Je constate que nous avons besoin des chiffres aux fins de planification. J'ai déjà pris des dispositions pour que les données soient disponibles demain... »

   Si la critique n'est pas justifiée, agissez comme pour les points 4 ou 5.

4. **La provocation :** ici, il ne s'agit pas du sujet présenté, mais de quelqu'un qui essaie de vous faire perdre contenance et qui vous met à l'épreuve. Ses motivations peuvent être une question de statut, une question de limites ou le fait qu'il ne vous aime pas.

Voici un exemple tiré de la réunion de Paul. Un chef de service dit : « Tous les travaux rattachés à ce projet, sur ta liste, n'existent tout simplement pas. »

Stratégies : évitez une bataille à la séance plénière. Ce serait stressant, et les résultats seraient incertains. Revenez plutôt au sujet à l'étude. À cet effet, faites une transition, qui détourne l'attention de la personne qui cherche à vous provoquer et ramène le sujet prévu sur la bonne voie. Ainsi, Paul pourrait répondre : « Cela semble beaucoup. Et c'est vraiment beaucoup ; c'est le fait de travailler sur quatre sections du projet en même temps qui rend la liste si longue. »

5. **L'attaque :** elle peut être lancée par un participant contre un autre ou contre vous. Le ton de voix déterminé, le jugement ferme et le manque de contenu, par rapport au sujet de la réunion, sont des éléments typiques de l'attaque. Voici un exemple tiré de la réunion de Paul : « Ça ne fonctionne pas non plus. »

Stratégies : inspirez profondément ; votre attitude détendue vaut son pesant d'or, dans une telle situation. Encore plus que dans l'exemple de la provocation, l'attaquant veut montrer qu'il est le plus fort et que vous êtes le plus faible ; c'est donc une question de statut. Si vous restez calme et confiant, le plan de l'attaquant ne fonctionnera pas. De plus, incitez l'attaquant à revenir au sujet.

Voici quelques exemples qui pourraient aider Paul :

- « Je vois que tu es sceptique. Qu'est-ce qui t'a amené à penser ainsi ? »
- « Je vois que tu es sceptique. Qu'est-ce que tu suggères ? »
- « Qu'est-ce que tu veux dire par là ? » Pour gagner du temps, et en guise de solution d'urgence, cette dernière suggestion (si vous ne trouvez rien d'autre) constitue un merveilleux passe-partout.

Jetons un coup d'œil aux participants : comment gérer les personnes difficiles et leur comportement ?

Les participants difficiles dans les discussions

1. **La personne qui parle trop :** elle a besoin d'attention et peut faire digresser les autres.

   Stratégies : les gens qui parlent trop peuvent facilement causer des frustrations, lors d'une séance plénière, et dans les cas extrêmes, ils peuvent faire perdre le fil de la discussion. Il vous incombe de les arrêter et de les ramener habilement au sujet de la réunion.

   Évitez de recourir aux outils d'aide à la conversation (hochements de tête, sourires). Attendez que la personne qui parle ait à reprendre son souffle. Levez la main et dites : « Permettez-moi de résumer cela en quelques mots » ou : « Je vais émettre un seul commentaire là-dessus. » Puis, faites ce que la phrase suggère.

   Et ensuite, agissez : rappelez le sujet de la réunion (« Que pensez-vous de cela ? »), ou illustrez un point d'une manière visuelle. Vous pouvez aussi demander à la personne qui parle trop de faire un résumé : « Que croyez-vous être le plus important, dans ce cas ? »

2. **La personne dominante :** c'est souvent un cadre de haut niveau, sûr de lui, porté à enfreindre les règles et à intervenir. L'avantage, pour les personnes dominantes, c'est leur air de légitimité (s'ils font partie de l'équipe de direction et peuvent participer à la prise de décision) ; ils peuvent par ailleurs fournir un bon apport à la réunion.

   Stratégies : le mieux est d'aborder la personne dominante avant la réunion et d'en parler. Si ce n'est pas faisable, parlez-lui pendant une pause. Prenez acte de ce que la personne dominante dit pendant la réunion, mais encouragez aussi les autres à prendre la parole : « Merci beaucoup pour cette idée. Qu'en pensent les autres ? »

3. **La personne agressive :** elle attaque par principe et veut produire de l'effet sur les autres ; elle aime manier le sarcasme, qui est l'apport chargé d'émotion des débatteurs. Les gens agressifs sapent grandement l'énergie des gens réservés.

Stratégies : inspirez profondément, gardez les deux pieds au sol, essayez de prendre du recul en vous retirant en vous-même, et répondez calmement, en parlant bas. Cela désamorce la situation.

De plus, comme nous l'avons vu plus haut dans les cas de la provocation et de l'attaque, il faut revenir au sujet du jour. Parlez seul à seul à la personne agressive, après la réunion ou pendant une pause. Cela pourrait prévenir une revanche. Dites, par exemple : «J'ai remarqué que ce sujet est très important pour vous. En avons-nous abordé tous les éléments, à votre avis ? »

4. **La personne au mauvais caractère :** elle attaque sous le coup de l'impulsion, ou se met à crier, c'est-à-dire qu'elle se laisse parfois emporter par la colère. Ce genre de personne aussi stresse les introvertis ou les vide de leur énergie.

   Stratégies : agissez comme vous le feriez avec une personne agressive. Par ailleurs, la colère et ses conséquences constituent un obstacle supplémentaire, dans le cas d'une personne ayant mauvais caractère : il n'est tout simplement pas possible de revenir au sujet, lorsqu'il y a une telle ambiance dans la salle. Et, souvent, les gens qui expriment de la colère n'entendent plus rien : ils sont complètement emportés par leurs émotions.

   Votre objectif est de régler ce qui est évident, la colère, d'une part. D'autre part, vous voulez poursuivre l'ordre du jour. Alors, commencez par vous placer dans le domaine des émotions, mais en vue de les désamorcer. Autrement dit, comme lorsqu'on a à composer avec une personne agressive, il faut parler calmement et rester le plus détendu possible. Maîtrisez vos propres émotions. Utilisez une phrase courte pour revenir au sujet pertinent : «Cela m'étonne ; que trouvez-vous de dérangeant dans cette suggestion ? » ou : «Vous ne semblez pas du tout apprécier la tournure que prend la réunion. Que suggérez-vous ? »

5. **Le pessimiste :** il aime se montrer sceptique ou négatif, et c'est souvent la peur qui le mène (1er obstacle). Cela peut avoir ses avantages, dans le cadre d'une réunion : si les problèmes potentiels sont évoqués, lorsqu'une décision doit être prise, il est possible d'éviter

des erreurs et d'épargner beaucoup de temps et d'argent. Par contre, si les arguments négatifs s'accumulent, cela risque de décourager et de frustrer les participants, particulièrement si la discussion porte sur des détails précis ou des sujets connexes que tout le monde n'est peut-être pas en mesure de suivre.

Stratégies : écoutez avec impartialité le pessimiste exprimer des doutes. Déterminez rapidement (pensée analytique, 6e force) si ces doutes sont justifiés et, si c'est le cas, incorporez-les au reste de la discussion. De plus, laissez les autres participants présenter leurs propres arguments. Si, en revanche, vous croyez que les doutes sont exagérés, jouez vous-même un rôle actif : demandez au pessimiste ce qu'il suggère pour éviter le problème qu'il a cerné, ou pour atténuer le risque dont il a fait part. Ainsi, vous détournerez l'attention de la difficulté et vous vous concentrerez sur sa résolution. C'est un obstacle pour les pessimistes, alors ils réfléchiront davantage avant d'intervenir, lorsque vous dirigez une réunion. Ou bien, vous pouvez présenter les doutes à l'ensemble des participants, en espérant qu'ils les neutralisent. Comme ceci, par exemple : « Qu'en pensent les autres experts présents ? » L'un des problèmes possibles à prendre au sérieux est la peur de la nouveauté, et les pessimistes y sont particulièrement enclins. Cela peut être contagieux, par exemple s'ils utilisent des expressions telles que « les plaintes favorablement accueillies dans des cas comparables » ou « des risques imprévisibles pour la sécurité ». Même si les arguments invoqués n'ont pas beaucoup de poids, les termes provocateurs de ce genre peuvent susciter la résistance des autres participants, sur le plan affectif, et peuvent même vouer une très bonne idée à l'échec. Ne répétez jamais ces termes provocateurs dans vos réponses, afin d'éviter d'aviver encore la colère des gens. Voici un exemple de ce qu'il faudrait dire (après avoir entendu le premier commentaire pessimiste) : « Vous avez raison ; il est important de peser ses mots, au point de vue juridique. Le concept est inattaquable. »

6. **La personne qui interrompt :** elle ne laisse pas les autres finir ce qu'ils ont à dire, elle crie au milieu de la séance plénière ou amorce

des dialogues privés avec d'autres participants. Tout cela peut être très dérangeant lors de la réunion, et peut même devenir contagieux, à tel point que, dans le pire des cas, la personne qui interrompt peut inciter les autres à faire comme elle.

Stratégies : prenez acte des interruptions en envoyant des signaux clairs, mais sans trop d'empathie. Dans les conversations en tête à tête, faites une pause et regardez votre interlocuteur d'une manière amicale et détendue. Habituellement, cela suffit à calmer votre interlocuteur. Si quelqu'un crie pendant que vous, ou quelqu'un d'autre, parlez, vous devez prendre des mesures plus strictes afin que tous les participants aient les mêmes droits de parole et l'assurance fondamentale que toute personne qui parle a le droit de terminer ce qu'elle a à dire. L'une de vos tâches, lorsque vous présidez une assemblée, est d'établir cette certitude. Voici un exemple de commentaire après que quelqu'un a crié : «Votre intervention a le même droit d'être entendue que toutes les autres. Suzanne n'a pas encore terminé. Dois-je vous inscrire comme participant voulant prendre la parole?»

Deux questions pour vous

Quelle perturbation ou quel genre de participant verriez-vous comme un cauchemar, à une réunion que vous présideriez?

_____

_____

_____

_____

Comment prévoyez-vous agir, à l'avenir, si cela se produit?

_____

_____

_____

_____

POINTS SAILLANTS EN BREF

- Il est particulièrement important, pour une personne réservée, de connaître les règles tacites régissant le déroulement d'une réunion. Elles peuvent être utilisées comme base pour élaborer des stratégies menant à la réussite des réunions.
- Diriger une réunion se gère aussi très bien. Ce qu'il faut, c'est une bonne planification et la connaissance des diverses étapes d'une réunion, de sorte que la majeure partie de l'attention puisse être portée aux parties de la réunion qui ne peuvent pas être planifiées.
- Et surtout, il faut reconnaître les dérangements et les participants récalcitrants. Cela aussi peut être prévu et géré avec succès.

Le droit à la discrétion : les perspectives d'une vie enrichissante en tant qu'introverti

J'espère que les chapitres qui précèdent vous auront permis de mieux comprendre les introvertis, et de mieux vivre et communiquer en tant que personne réservée. Que ferez-vous différemment, à l'avenir, lorsque vous communiquerez ? Je vous invite à m'écrire (9ᵉ force) pour me faire part de vos expériences en tant qu'introverti et de vos intentions, après avoir lu ce livre.

Enfin, voici autre chose pour vous : ci-dessous, j'ai résumé le matériel le plus important et le plus utile ; autrement dit l'essentiel de ma longue expérience de travail auprès de gens introvertis. Tout tourne autour de la substance, la 2ᵉ force...

L'INTROVERSION : UNE VIE REMPLIE D'INTENSITÉ

1. Vivez à fond le «flegme» de l'introversion – il est sûrement trop intense pour la plupart des gens !

Trouvez votre zone de confort dans le continuum introversion-extraversion et faites-en l'endroit où vous vous situez habituellement. En interaction avec d'autres, trouvez la quantité de stimulation qui vous fait vous sentir bien, à mi-chemin entre l'ennui et la trop grande stimulation. Vous y serez au mieux, et votre gestion de l'énergie en bénéficiera. Voyez votre introversion comme un privilège, et comme un billet pour une vie particulièrement intense.

2. Comportez-vous comme un extraverti, si cela en vaut la peine

Ne quittez votre zone de confort d'introverti qu'un bref moment : si cela en vaut vraiment la peine et, surtout, uniquement lorsque vous vous sentez bien et que vous avez récupéré. Passez «de l'autre côté» et «soyez extraverti», comme si vous jouiez un rôle : lorsque vous donnez une conférence, lorsque vous prenez un verre avec des collègues ou lorsque vous prenez part à un congrès ou à une réunion. Mais, comme je l'ai dit, ne le faites que pour un bref laps de temps, et dans des circonstances favorables : pas quand vous êtes stressé.

3. Puisez votre force dans le calme

Découvrez des façons de vous retirer et de vous reposer dans toutes les sphères professionnelles et personnelles. Saisissez ces occasions systématiquement : elles vous font du bien, et vous permettent de refaire le plein d'énergie, de temps à autre. Utilisez le calme intérieur auquel vous permet d'accéder cette stratégie, dans votre intérêt et dans celui des autres.

4. Découvrez vos forces et vos besoins personnels, et vivez en conséquence

L'intensité vaut mieux que la quantité. Un contenu profond vaut mieux que des phrases bien tournées. Travailler de façon autonome est bon pour votre créativité et votre concentration. En fait, c'est assez simple : analysez le contexte de votre vie du point de vue d'un introverti. Familiarisez-vous avec vos forces et vos besoins. Servez-vous-en comme base pour vos stratégies. Vivez en conséquence.

5. Soyez un ambassadeur de l'introversion

Comme vous savez ce que les introvertis peuvent faire et ce dont ils ont besoin, vous pouvez encourager les autres introvertis que vous côtoyez. Communiquez ce qui est important pour vous dans votre propre langage, et avec le support que vous préférez. Offrez votre appui aux jeunes introvertis. Ayez confiance en vous, en compagnie d'extravertis. Notre société a tout à gagner des gens réservés et considérés. Faites-vous entendre.

6. Gagnez les autres à votre cause, grâce à votre force tranquille

En tant qu'introverti, vous utilisez des moyens différents de ceux des extravertis pour gagner des gens à votre cause et les convaincre.

Faites appel à votre prudence (1re force), à votre concentration (3e force) et à votre empathie (10e force) pour réaliser vos objectifs.

Utiliser votre force tranquille vous sera profitable de deux façons : vous vous emploierez à atteindre votre but et vous établirez des relations positives avec les gens qui vous entourent : ce faisant, vous les gagnerez à votre cause, en demeurant authentique et respectueux.

7. Apprenez des extravertis et avec eux

Le chapitre 4 vous a montré comment tirer parti des avantages qu'offrent les extravertis. La philosophie a généralisé ce principe des contraires bénéfiques en observant la nature, ce qui est particulièrement éloquent dans le yin et le yang du taoïsme. Les contraires peuvent créer une tension positive. Par rapport à notre sujet, cela signifie que le monde a besoin d'explorateurs et de gardiens du *statu quo*, de coureurs de fond et de sprinters, de penseurs et de gens impulsifs, de gens axés sur les services et sur la sécurité.

Par ailleurs, la richesse de notre vie dépend dans une large mesure de notre souplesse et du champ d'action qu'elle nous ouvre. Tant les introvertis que les extravertis ont de la souplesse, et cette souplesse offre un large éventail de possibilités d'élargir nos horizons. Vous pouvez observer les extravertis pour élargir votre perspective tranquille du monde et vous comporter en ajoutant leur perspective à la vôtre, même si vous n'agissez pas nécessairement ainsi (comme au point 2). Observez simplement les extravertis qui vous entourent : les membres de votre famille, vos supérieurs et vos collègues.

Que pouvez-vous apprendre des extravertis, me demanderez-vous ? J'ai obtenu beaucoup de stimuli des extravertis qui m'entourent : je m'en sers pour survivre aux conflits, pour agir avec spontanéité malgré un horaire chargé, pour enthousiasmer les autres ou pour prendre un risque qui en vaut la peine. Les extravertis m'enseignent aussi à avoir plus de plaisir en société, à voir les choses de façon un peu plus sportive et à être plus ouverte à la nouveauté, même lorsque cela arrive spontanément.

Les extravertis peuvent aussi apprendre des introvertis. Les gens réservés peuvent leur montrer comment garder leur calme et leur concentration par rapport à ce que disent les autres, et à réfléchir avant d'agir. Votre penchant pour l'essentiel, la substance, vous permet de montrer aux extravertis à réfléchir avec plus de profondeur. Beaucoup d'extravertis sont particulièrement à l'aise avec des introvertis parce qu'ils se sentent acceptés (conséquence de l'empathie).

Les gens réservés nous convient à la stabilité et à la profondeur. Cela ne semble peut-être pas très séduisant, mais cela peut avoir un effet majeur sur la survie de l'espèce lorsque la sécurité, les principes d'éthique, la conscience et l'analyse ont plus d'importance que les forces des extravertis, comme la disposition à prendre des risques et à chercher la stimulation et les gratifications. Il serait donc rassurant, pour moi, de penser que toutes les décisions finales, dans certains domaines, sont entre les mains de gens réservés, par exemple en ce qui concerne l'énergie nucléaire, les marchés financiers, l'industrie alimentaire et dans les cabines de pilotage d'avions. Mais, dans tous les autres domaines aussi, il est vrai de dire : le monde a besoin de vous ! Allez ! Laissez votre marque, de façon réservée et intense !

Pour poursuivre votre lecture et votre recherche en ligne

www.hsperson.com
Elaine Aron est psychologue, spécialiste de l'hypersensibilité. Son site Web comporte un test que vous pouvez utiliser pour découvrir si vous êtes une personne très sensible. Cette caractéristique n'a rien à voir avec le fait d'être introverti ou extraverti.

www.theatlantic.com
Vous y trouverez en ligne l'article de Jonathan Rauch intitulé « Caring for your Introvert » (Prendre soin de votre introverti), (mars 2003), qui a fait beaucoup de bruit lors de sa parution, ainsi qu'une suite constituée des commentaires de lecteurs (« The Introversy Continues » [L'introversion se poursuit], avril 2006) et une interview de Jonathan Rauch (« Introverts of the World, Unite ! » [Introvertis du monde, unissez-vous ! »], février 2006).

www.theintrovertedleaderblog.com
Le blogue de Jennifer Kahnweiler dans le domaine du travail.

www.thepowerofintroverts.com
Le site Web de Susan Cain, avec son blogue et beaucoup d'information sur la façon de réussir sa vie en tant qu'introverti.

www.time.com
« Weisskopf, Michael : Obama : How He Learned to Win », tiré du *Time magazine* en ligne, le 8 mai 2008 : http://content.time.com/time/magazine/article/0,9171,1738494,00.html.

www.toastmasters.org
Toastmasters International : l'une des meilleures manières d'apprendre à peu de frais et efficacement à parler en public et à communiquer en tant que cadre. Le site Web présente notamment les clubs de votre région, et ceux que vous pouvez visiter lorsque vous êtes en voyage d'affaires ou d'agrément.

Index

Remerciements

Ute Flockenhaus a donné un magnifique coup d'envoi à ce livre, lorsque je l'ai approchée candidement à propos de cette idée. Elle a simplement dit : « J'ai fait protéger le titre. » Je n'oublierai jamais cela !

L'intelligence, la souplesse et le sens de la langue de Frederike Mannsperger ont fait d'elle l'éditrice idéale.

La D^{re} Fleur Wöss m'a montré le pouvoir du conférencier introverti en l'interprétant pour moi.

Les Drs Christiane Buchholz, Christine Herwig, Eva Kalbheim, feu Ursula Kleinhenz, Isabell Lisberg-Haag, Michael Meinhard, la professeure Maria Parr, Tom Peters et Andreas Stickler ont partagé leurs expériences et leurs idées dans le cadre d'un grand nombre de discussions, et ils m'ont soutenue de leur amitié.

Lars Schäfer m'a permis de garder les pieds sur terre, de ne pas perdre mon sens de l'humour et de finir par produire un manuscrit (exempt de 79 autres nouvelles idées).

John Kluempers, Ph. D., et Monsieur mon fils, sont le plus important extraverti et le plus important introverti dans ma vie. Ils me montrent tous les jours ce qui est vraiment important, et pendant que je rédigeais ce livre, ils m'ont fait passer de très agréables soirées grâce à plusieurs saisons de la série *The Big Bang Theory*.

Table des matières

Suivez-nous sur le Web

Consultez nos sites Internet et inscrivez-vous à l'infolettre pour rester informé
en tout temps de nos publications et de nos concours en ligne. Et croisez aussi
vos auteurs préférés et notre équipe sur nos blogues!

EDITIONS-HOMME.COM
EDITIONS-JOUR.COM
EDITIONS-PETITHOMME.COM
EDITIONS-LAGRIFFE.COM

Achevé d'imprimer au Canada
sur papier Enviro 100% recyclé